A2+

Cuaderno de ejercicios

Reporteros internacionales 3

Pistas de audio disponibles en el CD del Libro del alumno

difusión

Autoras de las unidades de la edición internacional: Barbara Bruna Bonetto, Marcela Calabia, Natalia Cancellieri, Maria Letizia Galli, Matilde Martínez, Sara Ruth Talledo Hernández

Autoras de las unidades de la edición original: Jenny Allemand, Milagros Carolina Hamon-Díaz, Delphine Rouchy, Sophie Rouet, Gwenäelle Rousselet

Revisión pedagógica: Agustín Garmendia
Coordinación editorial y redacción: Ana Irene García
Corrección: Pablo Sánchez
Diseño gráfico. Cubierta: Difusión **Interior:** Besada+Cukar
Maquetación: Elisenda Galindo, Pedro Ponciano
Fotografías de los Reporteros: Óscar García Ortega, AndreyPopov/iStockphoto
Ilustraciones: Paula Castel, Mar Guixé, Élise Hoogardie

Imágenes: U1 p. 4 Triciadaniel/Dreamstime, p. 5 Sylvia Arcos, lemongrasspath.com (2014), p. 6 Jenkedco/Dreamstime, p. 8 Diana Eller/Dreamstime, Juri Samsonov/Dreamstime, Halfpoint/iStock/Getty Images Plus, KatarzynaBialasiewicz/iStock/Getty Images Plus, AntonioGuillem/iStock/Getty Images Plus, p. 9 Peopleimages/iStock/Getty Images Plus, p. 10 Spiderplay/iStock/Getty Images Plus, p. 12 Artofphoto/Dreamstime, p. 14 andresr/iStock/Getty Images Plus, **U2** p. 18 Editorial Gárgola e ilustrador Luciano Espeche, Buenos Aires, SM, 2015, © Ilustrador: Luis Tinoco / Editorial: Ediciones Urano, Cortesía Editorial Planeta S. A., Edición de Seix Barral. Diseño e ilustración de la cubierta: © Perico Pastor, Ediciones SM, p. 20 Tusquets Editores, Barcelona, España, p. 23 DenisMakarenko/Dreamstime, p. 24 Darval/Dreamstime, p. 25 szefei/iStock/Getty Images Plus, p. 26 RegNatarajan/Wikimedia Commons, p. 29 Gonzalo Endara, **U3** p. 32 Roman_Novak/iStock/Getty Images Plus, Tang90246/Dreamstime, Anyaivanova/Dreamstime, p. 33 mixmagic/iStock/Getty Images Plus, gorodenkoff/iStock/Getty Images Plus, Cristina Curto Teixidó (2015), p. 36 Ministerio de Educación, Cultura y Deporte (2012), South_agency_iStock/Getty Images Plus, Steve Debenport/iStock/Getty Images Plus, FatCamera/iStock/Getty Images Plus, p. 37 ClarkandCompany/iStock/Getty Images Plus, p. 38 Alexander Morozov/Dreamstime, Glo5/Dreamstime, KatrinaBrown/Dreamstime, Scanrail/Dreamstime, Maridav/iStockphoto, ClaudioVentrella/iStock/Getty Images Plus, Kuruan/Dreamstime, p. 41 drbimages/iStockphoto, **U4** p. 46 Byvalet/Dreamstime, Madzia71/Getty Images, Grantotufo/Dreamstime, Yasmina Drissi Sales, p. 47 adekvatiStockphoto, p. 52 Kobby Dagan/Dreamstime, Ocusfocus/Dreamstime, p. 56 Patrickwang_dreamstime_m_8668500, p. 59 Ocusfocus/Dreamstime, **U5** p. 60 Alexander Tamargo_GettyImages-512719236, Laurence Griffiths_GettyImages-589920856, Mike Marsland_GettyImages-129348538, p. 62 Lucy Nicholson/Getty Images, Featureflash/Dreamstime, p. 64 adekvat/iStockphoto, p. 65 HRAUN/iStockphoto, DGLimages/iStockphoto, jacoblund/iStockphoto, monkeybusinessimages/iStockphoto, p. 69 DMEPhotography, p. 71 Mario Torero / Nicole Ruiz Hudson, **Autoevaluación** p. 74 by_nicholas/iStockphoto

Textos: U3 p. 32 planetajoy.com, **U5** p. 60 buzz 60 Latino, p. 69 Camila Londoño, *La historia de 6 jóvenes migrantes y su proceso de adaptación en las escuelas de Chile* (2018)

Vídeos: U5 BBC (2010); Luis Gamarra (2016)

© Difusión, S. L., Barcelona 2019
ISBN: 978-84-16943-85-2
Impreso en España por Imprenta Mundo

MIXTO
Papel procedente de
fuentes responsables
FSC® C125125
FSC
www.fsc.org

difusión
Centro de
Investigación y
Publicaciones
de Idiomas, S. L.

C/ Trafalgar, 10, entlo. 1ª
08010 Barcelona - España
Tel.: (+34) 932 680 300
Fax: (+34) 933 103 340
editorial@difusion.com

www.difusion.com

Índice

Los recursos digitales de Reporteros internacionales 3 en campus.difusion.com

- Libro digital interactivo
- Libro del profesor
- Evaluaciones
- Audios y vídeos
- Transcripciones de los audios
- Fichas de apoyo para el profesor
- Fichas de apoyo para el estudiante
- Actividades interactivas
- Mapas mentales

- *Mis estrategias de aprendizaje* traducidas al inglés, al francés, al portugués y al alemán
- Fichas de léxico
- Gramaclips
- Soluciones
- Glosarios

¡Con numerosos recursos gratuitos!

campus difusión

UNIDAD 1
Pura vida

¿SE PUEDE MEDIR LA FELICIDAD?

1 Lee **el texto y** escribe **estos subtítulos en el apartado correspondiente.**

La gente   ~~Amante de la paz~~   La alimentación

La naturaleza   La educación

← → ⟳   ⌂ ☰

5 razones que hacen de Costa Rica el país más feliz del mundo

Son varias las razones que hacen de Costa Rica un lugar ideal para vivir y para viajar.

1 **1.** *Amante de la paz*
   Costa Rica no tiene ejército permanente. Además,
   actualmente el país es sede de la Universidad de las Naciones Unidas para la Paz.

2. ....
5 El índice de alfabetización en Costa Rica es muy alto: un 97,8 %.
   Esta cifra sitúa al país entre los 40 primeros del mundo.

3. ....
   El país alberga el 5 % de la biodiversidad del planeta. Una cuarta parte de su
   territorio son bosques y reservas protegidas.

10 **4.** ....
   Los platos típicos en Costa Rica son sencillos, pero están llenos de sabor.
   La fruta tropical del país es maravillosa: muy fresca y a buen precio.

5. ....
   El carácter de los costarricenses es abierto y optimista. Saben disfrutar
15 de la vida y poner buena cara al mal tiempo.

---

2 Escribe **tres razones que hacen de tu país un país feliz.**

La alimentación: ....

....

¿QUÉ NECESITO PARA SER FELIZ?

3 **Lee** los textos de la ilustración.
Escribe los verbos en imperativo en la tabla y sus infinitivos correspondientes.
Escribe 3 ejemplos de cada tipo de imperativo.

ayuda
1

EL RITUAL DE LA FELICIDAD

LEVÁNTATE TEMPRANO

VISUALIZA TU DÍA

QUIÉRETE MUCHO

COME SANO Y VARIADO

PERSIGUE TUS SUEÑOS

MEDITA A DIARIO Y ESCUCHA MÚSICA

CREA HÁBITOS SALUDABLES

REGÁLATE TIEMPO

RODÉATE DE TUS SERES QUERIDOS

¡SONRÍE!

CREE EN TI

APRENDE ALGO NUEVO

DA, RECIBE Y AGRADECE ¡GRACIAS!

HAZ LO QUE AMAS Y AMA LO QUE HACES

CELEBRA TUS LOGROS

↑ Sylvia Arcos, lemongrasspath.com (2014)

Verbo en imperativo	Infinitivo
levántate	*levantarse*

Imperativos regulares

....

....

....

Imperativos irregulares

....

....

Imperativos con pronombre

levántate

....

....

4 **Crea** en tu cuaderno tu propio ritual de la felicidad con ocho consejos.
Escribe los verbos en imperativo.

MIS PALABRAS

5 Rodea **siete palabras** para hablar de la felicidad de un lugar y sus habitantes. **Completa las frases con esas palabras.**

··· La felicidad

S	I	M	V	I	C	O	P	S	R
K	L	B	A	P	U	Z	S	O	N
R	I	G	U	A	L	D	A	D	T
O	B	E	N	Z	T	D	L	I	F
H	E	R	M	C	U	I	U	N	O
A	R	U	N	U	R	A	D	E	S
J	T	N	O	S	A	M	O	R	V
C	A	R	A	C	T	E	R	O	U
I	D	T	N	E	T	D	O	L	F

a. La gente de Costa Rica es muy optimista. ¡Me encanta su *carácter*!

b. No me gustan los zoos, los animales deberían estar siempre en _____.

c. Miguel siempre está enfermo. Tiene una _____ delicada.

d. El _____ es importante, pero no da la felicidad.

e. En el mundo laboral, no siempre hay _____ entre hombres y mujeres.

f. El pueblo de mis abuelos es muy tranquilo. ¡Hay mucha _____!

g. Cuando viajo, me gusta conocer la _____ del país a donde voy.

 6 Escribe **las letras que faltan.**
Descubre **seis consejos para sentirte bien.**

··· La felicidad

 a. S*onrí*e
con frecuencia.

 b. Da a_____s
a la gente que quieres.

 **c.** C_____e
tus cosas.

 d. R_____a
profundamente.

e. D_____a
de los amigos.

 **f.** Haz e_____o
regularmente.

MI GRAMÁTICA

7 Escucha **los consejos.**
¿**Para quién son?** Marca **la columna correcta.**

pistas
22 • 26

⟶ El imperativo afirmativo

	Para ti	Para vosotros
1	✕	
2		
3		
4		
5		

8 Escribe **consejos** para estas personas.
Puedes utilizar **estos verbos u otros.**

⟶ El imperativo afirmativo

ayuda
1

sonreír   hacer   quererse   animarse

dejar   dar   disfrutar

a. Para un/a amigo/a: _____

b. Para tu madre o tu padre: _____

c. Para tu profesor/a: _____

d. Para tus abuelos: _____

9 Completa **con por** o **para.**

⟶ Por / para

a. El sábado _por_ la tarde vamos al cine.

b. Mi hermano ha comprado caramelos _____ toda la clase.

c. ¿Te apetece dar una vuelta _____ el parque con la bici?

d. Sara me ha enviado una foto de su familia _____ correo electrónico.

e. Un gato entró en casa _____ una ventana de la cocina.

f. He comprado manzanas _____ hacer una tarta.

g. Pedro ha llamado _____ teléfono cuando estabas en clase.

h. _____ la mañana siempre me levanto muy tarde y voy corriendo al insti.

i. ● Y tú, ¿_____ qué usas internet normalmente?

 ○ ¡Uy! _____ muchas cosas: _____ hacer trabajos del instituto, _____ jugar…

DOCTORA, TENGO FIEBRE

1 Escucha **otra vez a Flor y a su doctora.** Completa **las notas de la doctora.**

pista 27

a. Síntomas del / de la paciente.

¿Qué le duele?
- La barriga. ☐
- Las muelas. ☐
- La garganta. ☒
- El cuerpo. ☐

¿Está resfriado/a?
- Sí. ☐
- No. ☐

¿Tiene tos?
- Sí. ☐
- No. ☐

¿Tiene fiebre?
- Sí. ☐
- No. ☐

b. Diagnóstico. ....

c. Consejos para su recuperación.

....

....

d. Medicamentos y su dosis.

.... vez al día.

.... Cada .... horas.

CITA CON EL MÉDICO

2 Escribe **un consejo para cada persona.**

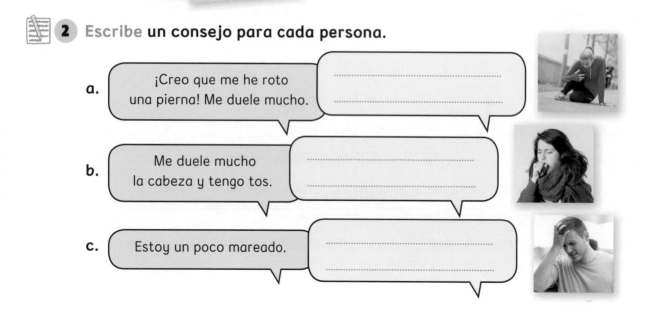

a. ¡Creo que me he roto una pierna! Me duele mucho. ....

b. Me duele mucho la cabeza y tengo tos. ....

c. Estoy un poco mareado. ....

3 **Escribe** las intervenciones de la médica en el lugar que corresponda.

| Dime, ¿~~qué~~ te pasa? | ¡Que te mejores! | ¿Tienes fiebre? |

| Pues solo es un resfriado. | Descansa y bebe mucho líquido. |

| ¿Qué síntomas tienes? | Espera, que te pongo el termómetro. |

● *Dime, ¿qué te pasa?*

○ No me siento muy bien…

● ....

○ Me duele la barriga y estoy un poco mareada.

● ....

○ No me la he mirado.

● ....

　Pues sí, tienes un poco de fiebre.

○ Es lo que pensaba…

[*minutos más tarde*]

● ....

○ ¿Y qué debo hacer?

● ....

○ De acuerdo, adiós.

● ....

COSAS QUE ME HACEN FELIZ

 4 **Escribe** dos cosas que **te hacen feliz** y **dibújalas**.

ayuda
2

a. *Me hacen feliz los helados.*　　**b.** ....　　**c.** ....

....　　..................................　　..................................

MIS PALABRAS

5 Clasifica estas frases teniendo en cuenta si hablan de sentimientos positivos 😊 o negativos 😞.

···> Expresar sentimientos

a Mi gato me hace feliz.

b Los ordenadores lentos me ponen nerviosa.

c Me hace feliz levantarme pronto.

d Me molestan los coches.

e Las noticias de la tele me ponen triste.

😊	😞
Mi gato me hace feliz.	

6 ¿Qué sentimientos te producen estas cosas? Escribe frases como en el ejemplo.

···> Expresar sentimientos

me hace/n feliz | me pone/n triste | me da/n miedo | me da/n igual

me pone/n nervioso/a | me molesta/n | me da/n vergüenza | me da/n pereza

ayuda 2

a. Ir a la playa *me hace feliz.*

b. Levantarme temprano

c. Las tormentas

d. Las despedidas

e. Cantar en público

f. El ruido en mi casa

g. Las series buenas de televisión

h. Las guerras

i. Los exámenes

7 Completa **las frases con la ayuda del crucigrama.**

···▷ La salud

1. Me duele la →

2. Me duelen las →

3. Tengo →

4. Me he roto la →

5. Estoy →

6. Tengo →

```
              5.▼              6.▼
   1.▶  G     R          T
   2.▶  M
   3.▶  F
   4.▶  P
```

MI GRAMÁTICA

8 Completa **las frases con el verbo doler conjugado.**

···▷ El verbo **doler**

a. No me siento bien y *me duele* la cabeza.

b. A Lola _____ mucho la pierna.

c. Hemos caminado mucho y ahora a los dos _____ los pies.

d. A los chicos _____ la espalda porque sus mochilas pesan mucho.

e. Y a vosotros, ¿_____ la garganta?

9 Completa **con los verbos de las etiquetas.**

···▷ El imperativo con pronombres

~~ponte~~   acuéstate   levántate   relajaos   guárdala   lávalos   preparaos

ayuda 1

a. Si crees que tienes fiebre, *ponte* el termómetro.

b. Si estáis estresados, _____ un poco en la piscina.

c. Si ya no usas calculadora, _____ en la mochila.

d. Si tenéis hambre, _____ un bocadillo.

e. Si los platos están sucios, _____.

f. Si vas de excursión mañana por la mañana, _____ pronto.

g. Si quieres hacer muchas cosas mañana, _____ muy temprano.

UN MENÚ SALUDABLE

🎧 **1** Escucha **el diálogo.**

pista 28

Marca **qué platos piden** los clientes.

Escribe qué va a tomar la mujer y qué va a tomar el hombre.

MENÚ DEL DÍA

PRIMER PLATO
CANTIDAD

Ensalada de aguacate con mayonesa — 1

Crema de verduras — ☐

Canelones con bechamel — ☐

SEGUNDO PLATO

Paella de marisco — ☐

Tortilla de espárragos y calabacín — ☐

Bistec con patatas fritas — ☐

POSTRE

Helado — ☐

Fruta del tiempo — ☐

Tarta de manzana — ☐

BEBIDA

Agua — ☐

Zumo de naranja — ☐

Refresco — ☐

La mujer va a tomar...

....

....

El hombre va a tomar...

....

....

Para beber, quieren...

....

¡QUEREMOS UNA VIDA SANA!

2 Clasifica las frases, según tu opinión, en hábitos buenos ⊞ o malos ⊟ para la salud. Escribe consejos con estas frases para un/a amigo/a. Utiliza el imperativo afirmativo o negativo según cada caso.

a. Ver la televisión muchas horas al día. ⊞ ☒
   No veas la televisión muchas horas al día.

b. Comer mucha fruta y verdura. ☒ ⊟
   Come mucha fruta y verdura.

c. Beber demasiados refrescos. ⊞ ⊟
   _____

d. Enfadarse con los amigos por tonterías. ⊞ ⊟
   _____

e. Caminar media hora todos los días. ⊞ ⊟
   _____

f. Quedar con amigos los fines de semana. ⊞ ⊟
   _____

g. Comer muchos dulces antes de la comida o la cena. ⊞ ⊟
   _____

h. Dormir poco e ir a clase cansado. ⊞ ⊟
   _____

3 Un/a amigo/a te ha enviado este correo electrónico. Contéstale en tu cuaderno con algún consejo.

Asunto: Pequeño problema

1 ¡Hola!

¿Cómo estás? Yo últimamente estoy un poco cansado, la verdad. Me han regalado un juego nuevo para la consola y no paro de jugar. Es muy divertido y lo paso genial, pero me olvido de hacer los deberes y, a veces, me quedo
5 jugando hasta tarde por la noche...

¿Qué me recomiendas para no estar tan cansado?

¡Hasta pronto!

Santiago

MIS PALABRAS

4 Completa **el diálogo entre una camarera y un cliente.**

···> El restaurante

| qué va a tomar | de segundo | de postre | de primer plato | para beber |

- Hola, ¿sabe *qué va a tomar*?
- Pues, _____, quiero sopa.
- Muy bien. ¿Y _____?
- Pescado con verduras.
- Perfecto. ¿Y _____?
- Agua.
- Vale. ¿Va a querer algo _____?
- No, gracias, solo café.

5 Diseña **el menú de tu restaurante ideal.**

···> El restaurante

RESTAURANTE _____

| MENÚ DEL DÍA |

PRIMER PLATO

....

....

....

SEGUNDO PLATO

....

....

....

POSTRE

....

....

....

Bebida: _____, _____ o _____

MI GRAMÁTICA

6 La madre de Carlos no está en casa
y le ha dejado estas **instrucciones**.
Conjuga los verbos en la forma correcta.

ayuda
1

ayuda
3

> El imperativo

Cosas que debes hacer:

a. (AYUDAR) *Ayuda* a tu hermano con los deberes.

b. (HACER) .... tu cama.

c. (ORDENAR) .... tu habitación.

d. (SACAR) .... al perro a pasear.

e. (IR) .... a comprar el pan.

Cosas que no debes hacer:

a. No (VER) *veas* la televisión muchas horas.

b. No (LLEGAR) .... tarde a clase.

c. No (PONER) .... la música muy alta.

d. No (ENFADARSE) .... con tu hermano.

e. No (HACERSE) .... daño con el monopatín.

7 ¿**Pedir** o **preguntar**?
Clasifica en la tabla si las siguientes cosas se piden
o se preguntan.

> Pedir / preguntar

ayuda
4

un favor a alguien   cómo se llama un compañero   qué hora es a un señor

una hamburguesa en un restaurante   un diccionario a un amigo   permiso para ir al baño

Pedir	Preguntar
un favor a alguien	

1 Completa con toda la información que recuerdas de la unidad.
Después, consulta el mapa mental, completa y corrige la información.

PARA SENTIRSE BIEN

....

....

necesitar

....

....

....

cuidar (de)

....

quererse

....

....

EXPRESAR SENTIMIENTOS

me hace/n feliz

.... → triste

.... → ....

LA FELICIDAD

el bienestar

....

.... ≠ ....

....

....

....

el medio ambiente

....

IR AL MÉDICO

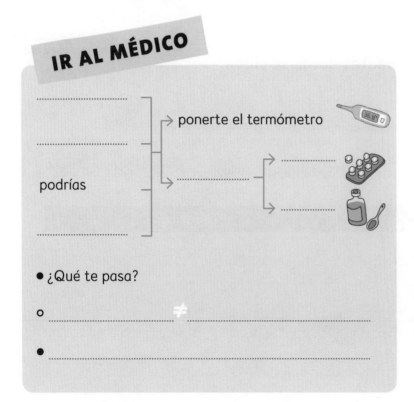

....

.... → ponerte el termómetro

podrías → .... → ....

.... → ....

- ¿Qué te pasa?

o .... ≠

- ....

LA SALUD

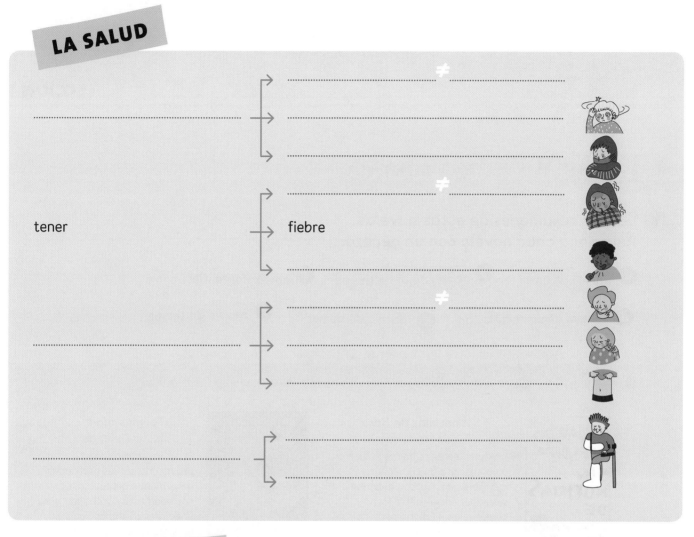

tener ⟶ fiebre

EL RESTAURANTE

- ¿Qué va a tomar?

o ....

o ....

o Camarero, ¿nos trae la cuenta, por favor?

EL MENÚ

el espárrago

el helado

¿QUÉ HISTORIAS VAN CONTIGO?

1 Lee **los resúmenes de estas novelas.**
Relaciona **cada novela con un** **género.**

a ~~novela de amor~~ **b** novela de detectives **c** novela fantástica

d novela de ciencia ficción **e** novela de humor **f** novela de terror

Sin noticias de Gurb
Eduardo Mendoza

Un extraterrestre baja a la Tierra para buscar a un compañero desaparecido, Gurb, y describe sus experiencias entre los humanos en un diario personal. Los lectores no van a parar de reírse con este libro.

👍 me gusta 💬 comentarios

(1991)

Tempus fugit
Javier Ruescas

El cambio climático ha provocado graves problemas en el mundo del futuro. La sociedad está controlada por la empresa Tempus Fugit y unos adolescentes luchan para destapar sus mentiras.

👍 me gusta 💬 comentarios

(Buenos Aires, SM, 2010)

Nosotros después de las doce
Laia Soler

Aurora vive en un pueblo perdido en las montañas. Su abuelo tiene un carrusel con poderes mágicos que hace a la gente olvidar su pasado. Un reencuentro inesperado va a cambiar la vida de Aurora.

👍 me gusta 💬 comentarios

(2016)

Algunas nubes. No habrá final feliz
Ignacio Taibo

El detective Héctor Belascoarán debe resolver dos nuevos casos de asesinato que muestran la cara más oscura de Ciudad de México.

👍 me gusta 💬 comentarios

(1985)

Cuentos de amor de locura y de muerte
Horacio Quiroga

Una serie de historias aterradoras situadas en el entorno tropical de la provincia argentina de Misiones, con el amor, la locura y la muerte como protagonistas.

👍 me gusta 💬 comentarios

(1917)

a Como agua para chocolate
Laura Esquivel

Tita y Pedro están enamorados desde que eran pequeños, pero su familia no acepta su relación. Tita descubre en la cocina una manera de transmitir su amor a Pedro secretamente.

👍 me gusta 💬 comentarios

(1989)

2 Escucha **la conversación.**
¿Qué novela de la actividad **1** les recomiendas a estas personas?

pista 29

a. A Carolina *le recomiendo...* ....

b. A Miguel ....

c. A Claudia ....

¿DE QUÉ TRATA?

3 Lee **el resumen.**
¿Verdadero (V) o falso (F)? Marca **la casilla correspondiente.**
Corrige **las frases que no son verdad.**

Como agua para chocolate

1 En la familia de Tita, las hijas menores no se casan porque deben cuidar de los padres cuando son mayores. Un día, Pedro Muzquiz le pide matrimonio a Tita. Pero la madre de Tita no le da permiso y le propone casarse con Rosaura, su hija mayor. Entonces,
5 Pedro y Tita deciden que, para poder estar cerca, él debe casarse con Rosaura. Al final, Tita, que es una cocinera extraordinaria, puede comunicarse con Pedro a través de sus deliciosas recetas mexicanas, que tienen poderes casi sobrenaturales.

Laura Esquivel

a. En la familia de Tita, la hija mayor debe cuidar de los padres cuando son viejos. [V] [F]

....

b. Pedro Muzquiz se casa con Rosaura para olvidar a Tita. [V] [F]

....

c. Tita cocina platos mexicanos muy ricos. [V] [F]

....

4 Piensa **en un libro o una película que te gustó y otro/a que no te gustó.**
Escribe **un comentario** positivo (👍) **y otro** negativo (👎)
para un foro en internet.

👍	....
👎	....

LIBROS QUE NOS GUSTAN

 5 **Un amigo te ha enviado este correo electrónico.**
Contéstale en tu cuaderno.

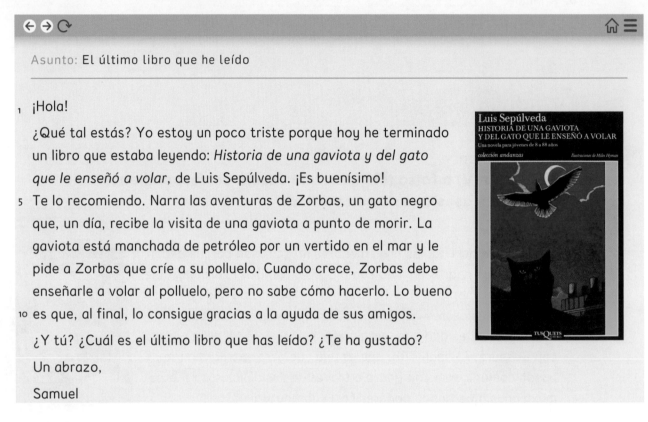

Asunto: El último libro que he leído

1 ¡Hola!

¿Qué tal estás? Yo estoy un poco triste porque hoy he terminado
un libro que estaba leyendo: *Historia de una gaviota y del gato
que le enseñó a volar*, de Luis Sepúlveda. ¡Es buenísimo!

5 Te lo recomiendo. Narra las aventuras de Zorbas, un gato negro
que, un día, recibe la visita de una gaviota a punto de morir. La
gaviota está manchada de petróleo por un vertido en el mar y le
pide a Zorbas que críe a su polluelo. Cuando crece, Zorbas debe
enseñarle a volar al polluelo, pero no sabe cómo hacerlo. Lo bueno
10 es que, al final, lo consigue gracias a la ayuda de sus amigos.

¿Y tú? ¿Cuál es el último libro que has leído? ¿Te ha gustado?

Un abrazo,

Samuel

MIS PALABRAS

6 **Inventa y escribe un posible título...**   ···≥ Los géneros narrativos

a. para una novela de ciencia ficción. → *Nueva vida en el planeta Marte.*

b. para una novela de terror. →

c. para una novela de amor. →

d. para una novela de detectives. →

e. para una novela de humor. →

f. para una novela fantástica. →

7 **Escribe el título de un libro, película o serie según tu opinión.**   ···≥ La opinión

a. ¡Es buenísimo/a! →

b. ¡Es aburridísimo/a! →

c. ¡Engancha! →

d. Es muy entretenido/a. →

MI GRAMÁTICA

8 Completa **la reseña** con estas frases.

····> La frase relativa

| que empieza a ir a un instituto nuevo | que ~~engancha~~ | que están de actualidad |

| que tienen problemas | que se convierte en su mejor amiga |

1 *Cuando me veas* es un libro *que engancha* desde el principio.
Cuenta las aventuras de Tina Martínez, una adolescente
muy tímida ....
En el instituto, conoce a Salima El Halimi, una chica habladora
5 y extrovertida ....
Un día, Tina descubre que tiene un poder especial, la invisibilidad,
y decide utilizarlo para ayudar a aquellos alumnos
.... en el instituto.
En el libro, se tratan temas como el acoso escolar o el racismo,
10 .... en algunos centros escolares.

9 **Haz** frases con estos elementos.
Utiliza **el relativo que**.

····> La frase relativa

a. Elena me regaló un boli. + No encuentro el boli.

No encuentro el boli *que me regaló Elena.* ....

b. Ayer conocí a una chica. + La chica es española.

La chica ....

c. El verano pasado Vicente leía un libro. + El libro era de ciencia ficción.

El libro ....

d. Anoche vimos un documental. + El documental me pareció muy interesante.

El documental ....

e. El año pasado tuve un compañero. + Mi compañero era argentino.

El compañero ....

f. La profesora nos leyó un fragmento de un libro. + El fragmento era de El Quijote.

El fragmento del libro ....

g. Mi familia y yo adoptamos un perro. + El perro es un mastín.

El perro ....

¡QUÉ FUERTE!

pistas
7•9

1 Escucha **las anécdotas**.
Relaciona **cada conversación con una de las imágenes.**

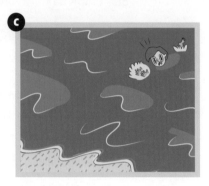

a. Diálogo ....

b. Diálogo ....*1*............

c. Diálogo ....

EL REALISMO MÁGICO

2 Lee **el fragmento de *Cien años de soledad* en la página 37 del Libro del alumno.**
Responde **a las preguntas.**

a. Resume el episodio en una frase.

Cuando J. A. Buendía muere... ....

b. ¿Cuál es el elemento mágico de este episodio?

....

c. ¿Qué crees que indica la lluvia de flores en la narración?

☐ Tristeza y respeto por la muerte de un personaje importante.

☐ Desprecio por el personaje que muere.

☐ Indiferencia, ya que la vida continúa igual que siempre.

3 Inventa **dos finales para cada situación: uno realista y otro mágico.**

a. El profesor estaba dando una clase de Historia muy interesante...

Final realista: ....

Final mágico: ....

b. Después del partido, Sofía estaba tan cansada que...

Final realista: ....

Final mágico: ....

MIS PALABRAS

 4 Completa **las dos conversaciones con estas palabras.**

····> Expresiones para reaccionar

| ¿En el cine? ¿En serio? | ~~No, ¿qué?~~ | ¿Y qué pasó? | Ya, ¡qué vergüenza! |

| ¿De verdad? ¿Y te hiciste daño? | ¡Qué fuerte! ¿Y qué hiciste? |

a. ● ¿Sabes qué me pasó el otro día?

○ *No, ¿qué?* ....

● Estaba cenando en un restaurante y, de repente, se rompió la silla.

○ ....

● No, pero lo pasé fatal porque se dio cuenta todo el restaurante.

○ ....

b. ● ¡No te lo vas a creer! Ayer fui al cine con unos amigos.

○ ....

● Pues que estaba Javier Bardem, el actor protagonista, vendiendo palomitas.

○ ....

● Sí, sí. Era la noche del estreno y estaba haciendo promoción de la peli.

○ ....

● Pues comprar palomitas, ja, ja, ja.

5 Clasifica **las expresiones de la actividad anterior.**

····> Expresiones para reaccionar

a. Pide más información. ⟶

| *No, ¿qué?* |
| .... |
| .... |
| .... |

b. Repite una parte. ⟶

| .... |
| .... |
| .... |

c. Expresa un sentimiento (sorpresa, miedo...). ⟶

| .... |
| .... |
| .... |
| .... |

MI GRAMÁTICA

6 Completa **las frases con estas palabras.**
Resume la anécdota en dos o tres frases.

> ⋯▷ **Pasar, pasarle, pasarlo**

| lo pasé fatal | pasaste miedo | ~~qué me pasó~~ | qué pasó |

- ○ ¿Sabes _qué me pasó_ ayer por la noche?

- ● No, ¿qué?

- ○ Estaba solo en casa y, de repente, oí que alguien lloraba.
  Fui hasta el salón y no había nadie.

- ● ¿Y no ....?

- ○ Sí, muchísimo. .... hasta que vinieron
  mis padres.

- ● ¿Y .... al final?

- ○ Pues nada, que mi madre encontró debajo del sofá
  la muñeca llorona de mi hermana…

- ● ¡Qué bueno!

- ○ Sí, pero ahora tengo un poco de miedo cada vez
  que oigo llorar a la muñeca.

7 Escoge **la forma correcta en cada caso.**

> ⋯▷ **El indefinido y el imperfecto**

Un día, mientras Tita **cocinó** / (**cocinaba**), Pedro **entró** / **entraba**
en la cocina. Pedro **quiso** / **quería** hablar con ella, pero su madre
estuvo / **estaba** allí.
Al verlo, Tita **hizo** / **hacía** una taza de chocolate caliente
y se la **dio** / **daba** a Pedro. **Fue** / **Era** la mejor taza
de chocolate que había probado en su vida.

8 Completa **las frases con estar en imperfecto + gerundio.**

> ⋯▷ **Estar en imperfecto + gerundio**

ayuda
5

- **a.** Cuando salí de casa, (LLOVER) _estaba lloviendo_.

- **b.** (LEER, YO) .... cuando mi hermano empezó a llorar.

- **c.** Al llegar, vi que <u>mis compañeros</u> (HACER) .... un examen.

- **d.** Y <u>tú</u>, ¿ayer qué (VER) .... en la tele con tanto interés?

- **e.** <u>Sara y yo</u> (HABLAR) .... y el profesor nos llamó la atención.

- **f.** Cuando Lucía entró, <u>su abuela</u> (DORMIR) .... en el sofá.

- **g.** Al entrar en el salón, vieron que <u>el gato</u> (JUGAR) ....
  con el mando del televisor.

9 Completa **el texto con estos organizadores del discurso.**

···▷ Los organizadores

ayuda
6

| ~~una tarde~~ | cuando | poco después | como | al final | de repente |

1   _Una tarde_ , Lola estaba sola en casa. Sus padres estaban

fuera y, _____ llovía mucho, sus amigos

no quisieron ir hasta su casa. Estaba haciendo los deberes

en el salón cuando, _____, oyó un ruido extraño

5   en la otra parte de la casa. Tenía mucho miedo, pero,

_____, se levantó y fue hasta la cocina.

_____ llegó allí, oyó un grito: "¡¡¡Sorpresa!!!",

y vio a sus padres con una tarta enorme. Ella se puso muy

contenta y, _____, vinieron algunos amigos

10   y todos celebraron su fiesta de cumpleaños.

10 Relaciona **los elementos para crear frases.**

···▷ Los organizadores

ayuda
6

a. Estaba muy cansado 2

b. Como llegaba tarde, ☐

c. Me levanté temprano, ☐

d. Cuando llegué a casa, ☐

1. así que tenía sueño.

2. y al final decidí irme a dormir.

3. preparé la comida.

4. tomé el autobús.

11 Escribe **en tu cuaderno un relato con estas frases.**
Tienes que utilizar todos estos organizadores del discurso.

···▷ Los organizadores

ayuda
6

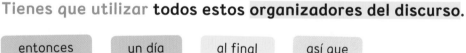

| entonces | un día | al final | así que |

• Santiago tenía que estudiar mucho ese año.

• Sus padres no lo dejaban ir a clases de baile.

• A Santiago le gustaba mucho bailar.

• Vio un cartel de un concurso de baile.

• Decidió preparar una coreografía y participar.

• Santiago ganó el concurso.

• Sus padres lo apuntaron a una escuela
de baile con la condición de aprobar el curso.

Santiago tenía que estudiar mucho ese año, así que sus
padres no lo dejaban ir a clases de baile...

CUENTA LA LEYENDA...

1 Relaciona **los elementos.**
Escribe las frases sobre la leyenda de Bachué.

a Cuenta la leyenda que

b Cuando se hizo hombre,

c Después de poblar la Tierra,

d Al pisar el agua,

el niño

los dos

Bachué y un niño

Bachué y su marido

salieron de una laguna sagrada.

se casó con Bachué.

decidieron volver a la laguna.

se convirtieron en serpientes.

a. *Cuenta la leyenda que Bachué y un niño salieron de una laguna sagrada.*

b. ....

c. ....

d. ....

LA LEYENDA DE EL DORADO

2 Lee **el texto y** responde **a las preguntas.**

EL ORIGEN DE UNA LEYENDA

¹ La leyenda de El Dorado fue muy popular entre los conquistadores españoles, que llegaban a América con la intención de hacerse ricos. Durante años, diferentes conquistadores buscaron El Dorado, una ciudad legendaria
⁵ donde había muchas riquezas, pero nunca tuvieron éxito.

Pero ¿existió realmente esta ciudad? La leyenda de El Dorado tiene su origen en una ceremonia de coronación del pueblo muisca que se realizaba en la laguna de Guatavita (Colombia).

¿SABES QUE...?

Los muiscas son un pueblo originario que vivía en Colombia cuando llegaron los españoles. El museo del Oro de Bogotá conserva diversas piezas de la época precolombina, como la balsa muisca, que recrea la ceremonia que dio origen a la leyenda de El Dorado.

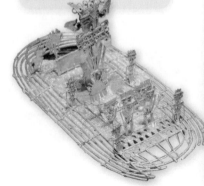

a. ¿Por qué buscaban El Dorado los conquistadores españoles?

....

b. ¿Cuál es el origen de la leyenda? ....

....

pista 30

3 Escucha **el relato** sobre la ceremonia de coronación muisca.
Describe **la ceremonia con tus palabras.**
Las siguientes imágenes y palabras pueden ayudarte.

ayuda 6

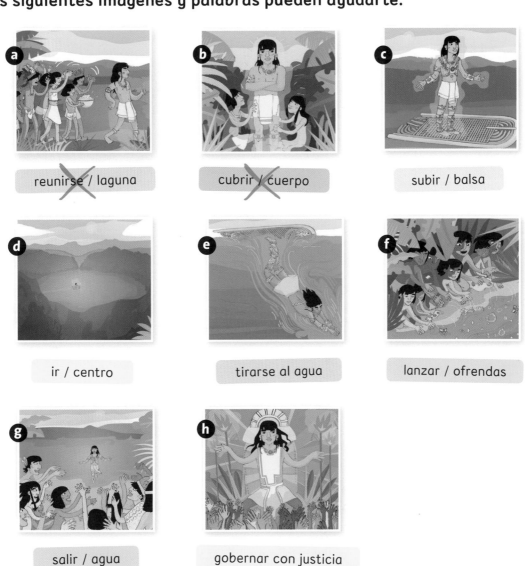

a reunirse / laguna

b cubrir / cuerpo

c subir / balsa

d ir / centro

e tirarse al agua

f lanzar / ofrendas

g salir / agua

h gobernar con justicia

El día de la coronación, los muiscas se reunían en la laguna sagrada
y cubrían de oro el cuerpo del futuro cacique. Entonces...

MIS PALABRAS

 4 Completa **el crucigrama con la ayuda de los dibujos.**

La naturaleza

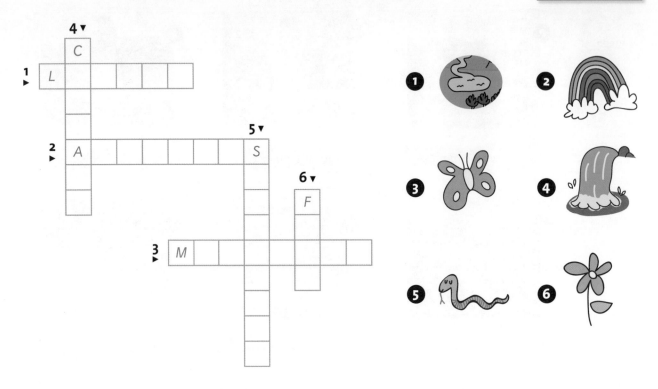

MI GRAMÁTICA

 5 Completa **las frases con al o cuando.**

Conectores temporales

a. *Al* _____ llegar a casa, los invitados a mi fiesta me estaban esperando.

b. _____ llegué a casa, los invitados a mi fiesta me estaban esperando.

c. _____ ver a tantos amigos, me puse muy contenta.

d. _____ vi a tantos amigos, me puse muy contenta.

 6 Reescribe **las frases con lo que se propone en cada caso.**

Conectores temporales

a. Al cumplir 18 años, Pablo se fue a Barcelona para estudiar Arquitectura.

Cuando *cumplió 18 años, Pablo se fue a Barcelona para estudiar Arquitectura.*

b. Al acabar la universidad, se fue a vivir a Colombia.

Cuando _____

c. Cuando llegó a Colombia, empezó a trabajar en una empresa.

Al _____

d. Cuando empezó a trabajar, conoció a Mariana.

Al _____

7 Conjuga **los verbos en el tiempo pasado** correcto.

···▷ El indefinido y el imperfecto

1   En el pueblo de Vilabuin nunca (PASAR) _pasaba_
    nada. Pero, una noche, cuando <u>todos</u>
    (ESTAR) .... ya en sus camas,
    se escuchó un ruido extraño. Entonces,
5   <u>todos los habitantes</u> (SALIR) ....
    rápidamente de sus casas para ver qué pasaba.
    De repente, (VER) .... <u>un tren</u>
    muy largo que (VOLAR) .... por el cielo.
    <u>El tren</u> (LLEVAR) .... <u>cestas</u> enormes
10 llenas de flores que hacían mucho ruido cuando
    (CAER) .... al suelo.

⬆ Gonzalo Endara, pintor colombiano, *El tren volador* (1970)

8 Inventa **en tu cuaderno un final para la historia de la actividad anterior.**

9 Completa **las frases con que o donde.**

···▷ La frase relativa

a.   Ayer vi a un vecino.   +   <u>Mi vecino</u> vive en el piso de arriba.

     Ayer vi al vecino _que_ vive en el piso de arriba.

b.   Ayer estuve en un piso.   +   <u>En ese piso</u> vive mi vecino.

     Ayer estuve en el piso .... vive mi vecino.

c.   Mi madre trabaja en un hotel.   +   <u>En su hotel</u> se queda gente famosa.

     Mi madre trabaja en un hotel .... va gente famosa.

d.   Mi madre trabaja en un hotel.   +   <u>Su hotel</u> está en la playa.

     Mi madre trabaja en un hotel .... está en la playa.

e.   Estudio guitarra <u>en una escuela de música</u>.   +   La escuela es muy grande.

     La escuela de música .... estudio guitarra es muy grande.

f.   En mi barrio hay <u>una escuela de música</u>.   +   La escuela es muy grande.

     La escuela de música .... hay en mi barrio es muy grande.

g.   Este verano visitamos <u>un pueblo</u>.   +   El pueblo está en Lugo.

     El pueblo .... visitamos en verano está en Lugo.

h.   Mis abuelos viven <u>en un pueblo</u>.   +   El pueblo está en Lugo.

     El pueblo .... viven mis abuelos está en Lugo.

MIS PALABRAS

 1 Completa con toda la información que recuerdas de la unidad.
Después, consulta el mapa mental, completa y corrige la información.

GÉNEROS

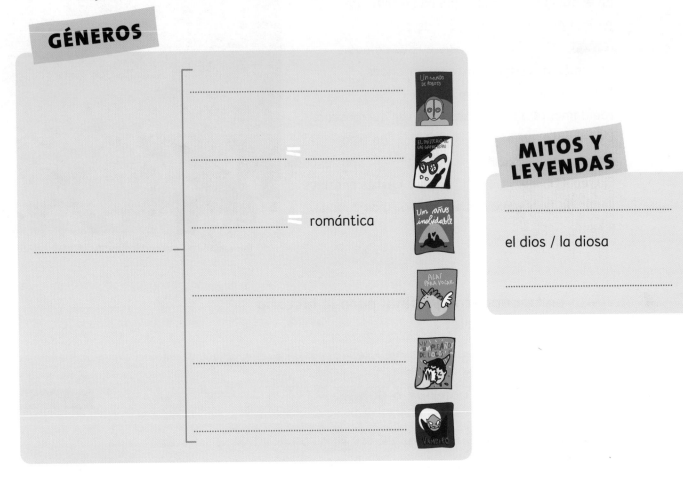

....

.... =

.... = romántica

....

....

....

....

MITOS Y LEYENDAS

....

el dios / la diosa

....

OBRAS

....

el corto(metraje)

....

....

....

....

....

el cuento

IMÁGENES MÁGICAS

LA NATURALEZA

....   el copo de nieve

la cascada

....

....

....

LIBROS, PELÍCULAS, SERIES

LA VALORACIÓN

.... ≠ ....

.... ≠ ....

.... ≠ ....

es entretenido/a

....

EL ARGUMENTO

....

Narra las aventuras de

....

CONTAR ANÉCDOTAS

....

¡No te lo vas a creer!

....

....

Un día

REACCIONAR

....

....

la biografía

....

....

¿Qué pasó luego?

....

UNIDAD 3
El mundo del mañana

LA COMIDA DENTRO DE 30 AÑOS

 1 Lee **el artículo y** responde **a las preguntas.**

Exquisitos insectos

1 Los insectos son abundantes y fáciles de criar. Consumen poca agua y emiten menos gases que el ganado.
5 Además, tienen muchas proteínas y vitaminas. ¿Seremos capaces de acostumbrarnos?

La fruta milagrosa

Los científicos han desarrollado un ingrediente procedente de una fruta que da un sabor agradable a los alimentos que no lo tienen, como muchos cactus. ¿Podremos comer cualquier vegetal en el futuro?

¡Adiós, carne!

Producir carne es muy caro y contaminante, por eso la fabricaremos con productos artificiales o bien con preparados de verduras y legumbres con aspecto de carne. Pero... ¿con qué sustituiremos el asado?

↑ Adaptado de planetajoy.com (2013)

1. ¿Por qué comeremos insectos?

    a. Porque tendrán mejor sabor que la carne. ☐

    b. Porque será más ecológico que criar ganado. ☐

2. ¿Qué se hará con el ingrediente procedente de una fruta?

    a. Se producirán nuevos alimentos artificiales. ☐

    b. Se mejorará el sabor de algunos alimentos. ☐

3. ¿Con qué sustituiremos la carne?

    a. Con preparados vegetales que parecerán carne. ☐

    b. Con asados de carne de animales exóticos. ☐

 2 Escucha **tres conversaciones sobre el artículo de la actividad 1.** Relaciona **cada conversación con su tema.**

pistas 31 • 33

Conversación n.º 1	**Exquisitos insectos**
Conversación n.º 2	**La fruta milagrosa**
Conversación n.º 3	**¡Adiós, carne!**

3 Completa **estos titulares.**

En la próxima década...

En el futuro...

pastillas

realidad virtual

¿UTOPÍA O DISTOPÍA?

4 Observa **la ilustración y** escucha **la conversación.**
Escribe **dos comentarios optimistas y dos pesimistas.**

pista 34

realidad aumentada

aparatos electrónicos

drones

contaminación

↑ Cristina Curto Teixidó, *Barcelona 2100, realidad aumentada y soledad digital* (2015)

MIS PALABRAS

5 Clasifica **estas frases sobre el futuro como optimistas o pesimistas.**

····⟩ El medio ambiente

a. Aumentará la cantidad de gases tóxicos en el aire. ☺ ☒

b. Disminuirá el uso de materiales reciclados. ☺ ☹

c. Dejaremos de contaminar. ☺ ☹

d. Inventaremos medios de transporte no contaminantes. ☺ ☹

e. Desaparecerán muchas especies de animales. ☺ ☹

6 Completa **estas frases con las palabras de las etiquetas.**

····⟩ La tecnología

| aparatos electrónicos | coches autónomos | superalimentos | realidad virtual |

a. En el futuro pasaremos muchas horas conectados a dispositivos de *realidad virtual*.

b. No tendremos que conducir porque usaremos _____.

c. Tomaremos _____ que nos aportarán todos los nutrientes necesarios.

d. Tendremos _____ instalados en el cuerpo para conectarnos a internet.

MI GRAMÁTICA

7 Escribe **estos verbos en futuro, en la persona indicada.**

····⟩ El futuro

a. poder (yo) → *podré* _____

b. hacer (tú) → _____

c. haber (él, ella) → _____

d. tener (yo) → _____

e. ser (nosotros/as) → _____

f. saber (vosotros/as) → _____

g. venir (tú) → _____

h. viajar (yo) → _____

8 Completa **las frases con las formas del futuro.**

····⟩ El futuro

← → ↻   ⌂ ≡

Dentro de 100 años

1 ¿Os habéis preguntado alguna vez cómo (SER) _será_ el mundo en el futuro?
¿Dónde (VIVIR) _____ los humanos? ¿Qué (HACER) _____
para divertirse?
Dentro de 100 años, los humanos (RESIDIR) _____ en ciudades
5 subacuáticas y (PASAR) _____ las vacaciones en grandes estructuras flotantes.
En lugar de ir al cine o al teatro, la gente (PODER) _____
descargar hologramas y ver los espectáculos desde donde quiera.

9 **¿Y TÚ?** **¿Cómo crees que será tu futuro dentro de 20 años? Escribe siete frases utilizando estos verbos.**

···⟫ El futuro

| trabajar | ~~vivir~~ | comer | estudiar | ganar | viajar | tener |

a. *Dentro de 20 años viviré en una casa inteligente en un bosque.*

b. ....

c. ....

d. ....

e. ....

f. ....

g. ....

 10 Subraya **el indefinido correcto en cada caso.**

···⟫ Los indefinidos

a. Mi hermano no ha leído <u>ningún</u> / ninguno <u>libro de Gabriel García Márquez</u>.

b. ● ¿Tienes algún / alguno <u>plan</u> para el fin de semana?

○ Sí, vamos a ir a esquiar.

c. ● ¿Van a venir todas <u>tus compañeras</u> a la fiesta?

○ No, solo vendrán algún / algunas.

d. En el futuro ningún / ninguno <u>estudiante</u> tendrá libros en papel.

e. ● ¿Conoces a algún / alguna <u>chica española</u>?

○ Sí, mi amiga Carmen.

f. Dentro de 20 años habrá algún / algunos <u>cambios</u> muy importantes en las ciudades.

11 Completa **las frases con el indefinido adecuado.**

···⟫ Los indefinidos

| ninguna (x2) | nadie | algunas | algún (x2) | ~~ningún~~ | ninguno |

a. Pedro no ve bien *ningún* <u>color</u>. Lo ve todo en blanco y negro.

b. En el futuro .... <u>personas</u> hablarán solo un idioma, pero serán muy pocas.

c. No me gusta .... <u>película de ciencia ficción</u>, me aburren todas.

d. Tienes que llevar .... <u>jersey</u>. Hará frío.

e. ¿Vosotros tenéis .... <u>diccionario</u>? Nosotros no tenemos ....

f. En el próximo siglo no habrá .... <u>frontera</u>.

g. Dentro de 100 años .... se pondrá enfermo.

¿QUÉ TE GUSTARÍA SER?

1 **Escribe** a qué **profesión** corresponde cada objeto.

5 _monitor/a de natación_

f _____ o c _____   **1**

6 _t_ _____

2   c _____

7 _p_ _____

f _____   **3**

8 _a_ _____

m _____   **4**

2 **Completa** lo que dicen Marta, Jasmina y Nelson.
Escribe la **profesión** de cada uno.

me cuesta (x3)   me gusta/n

muy bien   soy bueno/a (x2)

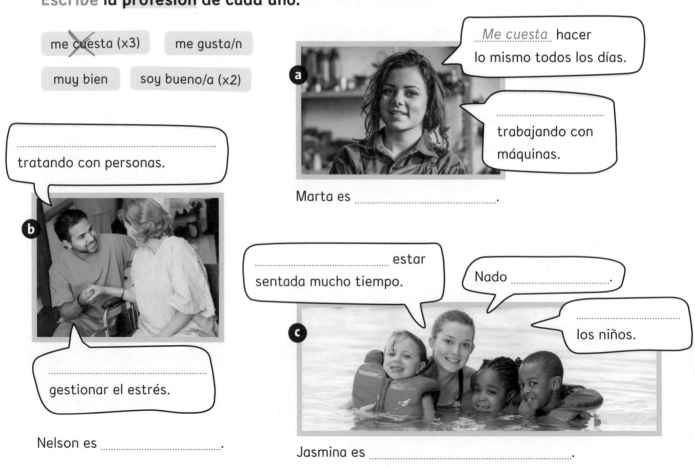

Me cuesta hacer lo mismo todos los días.

_____ trabajando con máquinas.

a

Marta es _____.

_____ tratando con personas.

b

_____ estar sentada mucho tiempo.

Nado _____.

c

_____ los niños.

_____ gestionar el estrés.

Nelson es _____.

Jasmina es _____.

DESPUÉS DE LOS ESTUDIOS

3 Escucha **la entrevista de Antonio con su orientadora pedagógica.** Escoge **la opción correcta en cada caso.**

pista 35

1. ¿Qué quiere hacer Antonio cuando acabe el instituto?

   a. Trabajar. ☐

   b. Ir a la universidad. ☒

   c. No quiere hacer nada. ☐

2. ¿Qué asignaturas le gustan más?

   a. Las asignaturas de letras. ☐

   b. Las asignaturas de ciencias. ☐

   c. Todas las asignaturas. ☐

3. ¿Qué tipo de estudios le recomienda?

   a. Algo relacionado con la tecnología. ☐

   b. Una carrera relacionada con los servicios sociales. ☐

   c. Alguna cosa relacionada con los deportes. ☐

4. ¿Qué frase define mejor el carácter de Antonio?

   a. No le gusta estar con la gente. ☐

   b. Necesita estar rodeado de gente. ☐

   c. Sabe aconsejar bien a sus amigos. ☐

4 Imagina **que puedes trabajar en los siguientes lugares.** ¿Qué cosas **harías?** Puedes utilizar **estos verbos u otros.**

ayuda 7

| ayudar | cuidar | investigar | preparar | escribir |

a. En un hospital, *ayudaría a la gente a estar sana.*

b. En un restaurante,

c. En un periódico,

d. En un zoológico,

e. En la universidad,

5 Completa **esta ficha con tus datos.**

Pega tu foto aquí.

Mi nombre: ....

Gustos: ....

Asignatura/s que me gusta/n: ....

Carácter: ....

Cómo me imagino en el futuro: ....

....

Qué me gustaría hacer después del instituto: ....

....

MIS PALABRAS

6 Completa **el crucigrama con las profesiones** en masculino.
Una de ellas es nueva: puedes buscarla **en el diccionario.**

`---> Las profesiones`

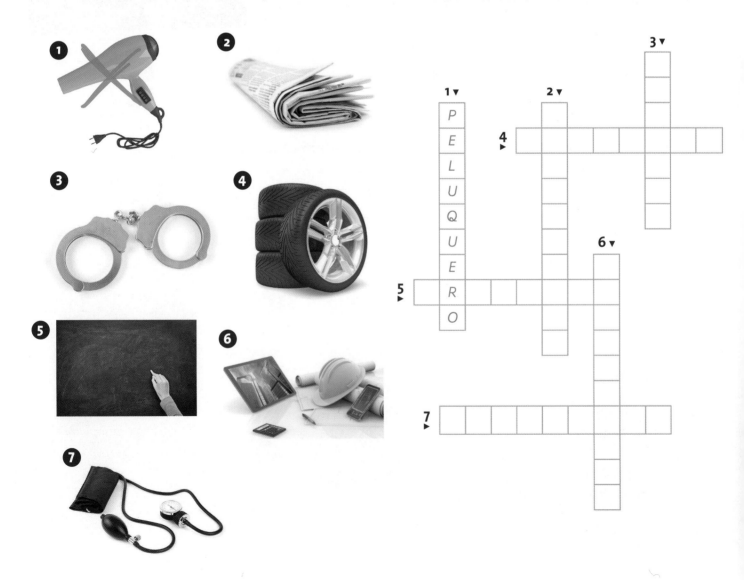

1▼ P E L U Q U E R O

MI GRAMÁTICA

7 Conjuga **los verbos en condicional.**
¿Qué le gustaría ser a la araña? **Lee** las letras que señala
y **escríbelo.**

⇢ El condicional

ayuda 7

a. salir, ella | S | | | | | |

b. poder, nosotros | P | | | | | | | |

c. decir, tú | d | | | | |

d. poner, yo | P | | | | | | |

e. querer, él | Q | | | | | | |

f. hacer, tú | H | | | | |

g. tener, nosotros | T | | | | | | | | |

h. haber, ellas | H | | | | | | |

i. venir, vosotros | V | | | | | | | |

j. A la araña le gustaría ser s ___ ___ ___ ___ ___ ___ ___ .

8 **El sueño de Fernando es ser rico.**
Completa el texto con estos verbos en condicional.

⇢ El condicional

ayuda 7

~~viajar~~   ser   pagar   comer   estar   tomar   ir

Me encantaría ser rico porque entonces *viajaría* por todo el mundo
y _____ en los mejores restaurantes. _____
a las playas más hermosas y _____ siempre con mis amigos.
Por la noche, _____ mi avión privado para ir a conciertos.
No _____ la entrada porque ¡los locales _____ míos!

TRABAJOS DE VERANO

 1 Lee **las tres ofertas de trabajo** de la página 56 del Libro del alumno.
Completa **la tabla con la información correspondiente.**

	Anuncio 1	Anuncio 2	Anuncio 3
Puesto de trabajo	*paseador/a de perros*		
Jornada y horario			
Requisitos para el puesto			

 2 Lee **la carta de motivación** de Alba.
Identifica las diferentes partes y **relaciónalas.**

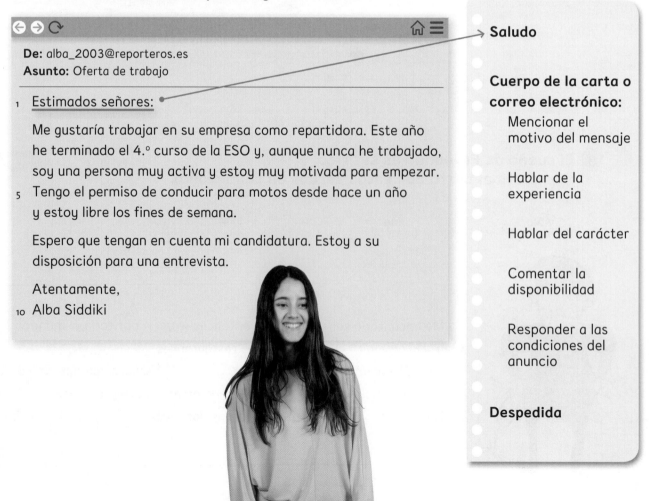

De: alba_2003@reporteros.es
Asunto: Oferta de trabajo

1 Estimados señores:

Me gustaría trabajar en su empresa como repartidora. Este año
he terminado el 4.º curso de la ESO y, aunque nunca he trabajado,
soy una persona muy activa y estoy muy motivada para empezar.
5 Tengo el permiso de conducir para motos desde hace un año
y estoy libre los fines de semana.

Espero que tengan en cuenta mi candidatura. Estoy a su
disposición para una entrevista.

Atentamente,
10 Alba Siddiki

→ **Saludo**

Cuerpo de la carta o correo electrónico:
Mencionar el motivo del mensaje

Hablar de la experiencia

Hablar del carácter

Comentar la disponibilidad

Responder a las condiciones del anuncio

Despedida

3 Escribe una **carta de motivación** para alguno de los puestos de la actividad 1.

← → ↻   ⌂ ≡

De:
Asunto: Oferta de trabajo

Estimados señores:

Me gustaría ....

Este año ....

....

Tengo experiencia ....

....

Soy una persona ....

....

....

Puedo trabajar los ....

....

....

....

EL VERANO DE ARTURO

pista
36

4 Escucha **la entrevista de trabajo.**
¿Verdadero (V) o falso (F)? Márcalo.
Corrige las frases falsas.

a. El puesto de trabajo es para enseñar español a niños. ☐V ☒

b. Arturo tiene un nivel bajo de inglés. ☐V ☐F

c. Arturo también habla italiano. ☐V ☐F

d. Arturo tiene experiencia con niños. ☐V ☐F

e. El sueldo es de 100 euros a la semana. ☐V ☐F

f. Arturo consigue el trabajo. ☐V ☐F

a: Es un puesto de au pair, para cuidar niños.

....

....

MIS PALABRAS

 5 Completa **la oferta de trabajo** con las siguientes palabras.

⟶ La oferta de trabajo

| se busca | carta de motivación | puesto | sueldo | entrevista |

OFERTA DE TRABAJO

1   _Se busca_   una persona seria para un ....

de periodista en una publicación digital en español.

El .... es de 1500 euros al mes.

Los interesados pueden escribir una ....

5   a redaccion@reporteros.es.

Si conviene, llamaremos para una ....

 6 Escribe **las palabras en la columna correspondiente.**
Añade 2 palabras más por columna.

⟶ La entrevista de trabajo

disponible	permiso de conducir	trabajador/a
un buen nivel de español	sociable	serio/a
varios idiomas	organizado/a	experiencia
solidario/a	muy bien inglés

Soy...	Tengo...	Estoy...	Hablo...
solidario/a			

MI GRAMÁTICA

 7 Completa **las frases con se + presente de indicativo.**

···> **Se impersonal**

| ~~hablar~~ | requerir | ver | buscar | vender |

SE BUSCA

a. En Chile _se habla_ español.

b. En esta tienda _____ caramelos.

c. _____ camarero para restaurante.

d. En agosto _____ muy bien las estrellas.

e. Para este puesto _____ experiencia.

 8 Relaciona **las columnas para formar frases.**

···> **Los conectores**

ayuda 9

a No tengo perro, `1`

b No sé cantar, ☐

c No veo bien, ☐

d Tengo muchos libros, ☐

1 porque me gusta leer.

2 por eso llevo gafas.

3 pero me encantan.

4 en cambio, sé bailar muy bien.

 9 Completa **las frases eligiendo el indefinido adecuado.**

···> **Los indefinidos**

| nadie | alguien | ~~nada~~ | algo |

a. Carlos es muy trabajador, nunca deja _nada_ sin hacer.

b. Los padres de Laura buscan a _____ para darle clases de refuerzo a su hija.

c. Nuestro profe de Historia siempre tiene _____ interesante que contar.

d. No se ha presentado _____ para el puesto de repartidor.

 10 Completa **la cadena de frases condicionales.** Inventa **el final.**

···> **Si condicional**

ayuda 8

1 Si consumimos menos petróleo, _contaminaremos menos el aire._

2 Si contaminamos menos el aire, _____

3 Si disminuye el calentamiento global, _____

4 Si no hay cambio climático, _____

5 Si la Tierra dura muchos años, _____

1 Completa con toda la información que recuerdas de la unidad.
Después, consulta el mapa mental, completa y corrige la información.

MI PROFESIÓN

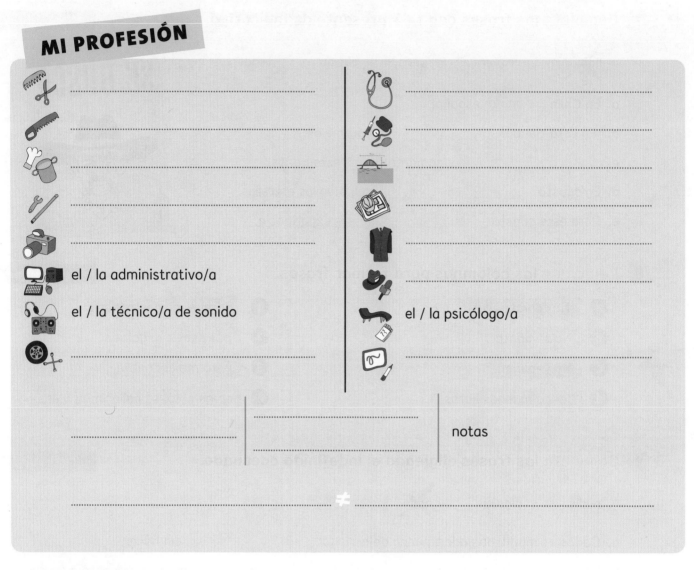

el / la administrativo/a

el / la técnico/a de sonido

el / la psicólogo/a

notas

≠

EL MUNDO

EL MEDIO AMBIENTE

la gasolina

los residuos

≠

LA TECNOLOGÍA

estar conectado/a

MI VERANO

TRABAJOS

....

....

el / la *au pair*

LA OFERTA DE TRABAJO

....

la carta de motivación

....

ganar dinero

....

....

experiencia

LA ENTREVISTA DE TRABAJO

....

¿Qué nivel de inglés tienes?

....

....

....

Tengo muchas ganas de empezar.

¡SOY UN PUZLE!

1 **Escribe** todo lo que sabes sobre Alba. **Observa** su *collage,* te puede ayudar.

Alba nació y siempre ha vivido en .... Su familia tiene distintos orígenes,

su abuelo es ...., su abuela es .... y sus padres son ....

.... A Alba le gusta .... y ....

Alba habla varias lenguas: ....

Yo me parezco a Alba porque ....

Yo no me parezco a Alba porque ....

2 **Lee** el texto de Fanor y **dibuja** un *collage* como el de Alba, con las informaciones que él ofrece sobre su vida, sus gustos y su raíces familiares.

> 1 Hola, me llamo Fanor Valencia. Nací en Valledupar, Colombia, pero las familias de mi papá y de
>   mi mamá son de otros países. Mis abuelos maternos son ecuatorianos. Cultivan cacao.
>   Mis abuelos paternos son venezolanos y tienen una tienda de ropa. Mis padres son médicos y
>   se conocieron trabajando en un hospital en Valledupar. Hace cinco años toda mi familia emigró
> 5 a los EE. UU. y ahora mis padres, mis dos hermanos y yo vivimos cerca de San Francisco.
>   Hablo español e inglés. Estudio para ser técnico de sonido. Me gusta el *hip-hop*, la música
>   colombiana y el *windsurf*. Toco el acordeón diatónico, un instrumento típico de la ciudad
>   donde nací.

PERSONAS QUE ME HAN MARCADO

3 Lee **los textos del foro de la página 71 del Libro del alumno.**
¿Verdadero (V) o falso (F)?
Marca **la casilla correspondiente.**
Corrige **las frases que son falsas.**

a. Sergio está muy influido por su abuela,
que era una gran viajera. ☐V ☐F

....

....

b. A Miriam le gusta ir al monte con su padre,
que es un gran aventurero. ☐V ☐F

....

....

c. Carla quiere escribir novelas de amor. ☐V ☐F

....

....

4 Busca **fotografías de 5 personas que te** han influido**,**
ponlas **en los marcos y** cuenta **qué te han enseñado.**

....

....

....

....

....

....

....

....

....

....

MIS PALABRAS

 5 **Completa** las frases con los verbos **recordar**, **acordarse**, **soñar**. **Fíjate** en las preposiciones (*acordarse de, recordar a alguien, recordar algo, soñar con*).

 ⋯⟩ **Las influencias y los recuerdos**

a. Carla _____ con viajar por todo el mundo.

b. Sergio _____ de las recetas de su abuela.

c. Cuando Miriam sale al monte, _____ los consejos de su tío.

d. Cuando Alba toca el laúd, _____ a su abuelo paterno, que también toca este instrumento.

e. Alba _____ las influencias que ha recibido de sus abuelos.

6 **¿Y TÚ?** Mis 6 mejores recuerdos.
Escribe frases con información personal sobre **3 personas y 3 cosas o situaciones que recuerdas.**

⋯⟩ **Las influencias y los recuerdos**

ayuda 10

Me acuerdo mucho de mi mejor amiga de la escuela primaria. Se llama Federica.

3 personas:

a. _____

b. _____

c. _____

3 cosas o situaciones:

a. _____

b. _____

c. _____

MI GRAMÁTICA

 7 **Completa** las frases con la preposición que falta si es necesario (**en / con / de**).

⋯⟩ **Verbos con preposición**

a. A veces pienso _____ mi tío Xavier, una persona que me marcó mucho.

b. Carlos siempre ha confiado _____ los consejos de su profesor.

c. De pequeña soñaba _____ ser piloto de avión.

d. Mi madre es la persona que más ha influido _____ mi vida.

e. Me acuerdo muchas veces _____ las vacaciones en el pueblo de mis abuelos.

8 **Completa** las frases con la forma adecuada del **pretérito perfecto**.

··⟩ Los tiempos del pasado: pretérito perfecto, pretérito indefinido y pretérito imperfecto

a. La persona que más (INFLUIR) .... en la vida de Ana es su profesora de Literatura.

b. Esta mañana (LEVANTARSE, YO) .... con dolor de cabeza y (TOMARSE, YO) .... una pastilla.

c. Esta tarde (VER, YO) .... que hablabas con Rita. ¿Qué te (DECIR, ELLA) .... ?

d. Este año, en clase (LEER, NOSOTROS) .... los cuentos de E. A. Poe.

e. Marta, ¿tú siempre (VIVIR) .... en Zaragoza?

f. Hoy, cuando (TERMINAR, VOSOTROS) .... de hacer vuestros deberes, (SALIR, VOSOTROS) .... a correr por el parque.

g. Mis padres tienen unos amigos que (VIAJAR) .... por todo el mundo.

 9 **Conjuga** las formas que faltan del siguiente cuadro.

··⟩ Los tiempos del pasado: pretérito perfecto, pretérito indefinido y pretérito imperfecto

	Pretérito imperfecto	Pretérito indefinido	Pretérito perfecto
(yo)	vivía	....	....
(tú)	....	viajaste	....
(él, ella, usted)	....	....	ha dado
(nosotros/as)	comíamos	....	....
(vosotros/as)	....	servisteis	....
(ellos, ellas, ustedes)	....	....	han ido

 10 **Escribe** una frase con las 6 formas en **pretérito indefinido** del cuadro anterior.

··⟩ Los tiempos del pasado: pretérito perfecto, pretérito indefinido y pretérito imperfecto

Yo viví 3 años en Colombia, del 2010 al 2013.

 11 **Completa** las frases con la forma adecuada del **pretérito indefinido**.

··⟩ Los tiempos del pasado: pretérito perfecto, pretérito indefinido y pretérito imperfecto

a. Mis dos abuelos (NACER) .... en Caracas.

b. Cuando yo tenía 6 años, mi madre (ENSEÑARME) .... a nadar.

c. Mi hermana y yo una vez (PARTICIPAR) .... en un concurso de baile.

d. ¿Tu padre (LLEGAR) .... a España con cuántos años?

e. Ayer (HACER, YO) .... la comida para toda la familia.

f. Nosotros (ESTAR) .... en Ecuador el año pasado.

EL ARTE FLAMENCO

1 **Escucha** y **marca** la opción correcta.

pistas
37·38

a. Los gitanos han transmitido su cultura...

- [ ] por escrito, con relatos.
- [ ] de forma oral, con el cante.

b. El cantaor, el guitarrista, la bailaora y los palmeros forman...

- [ ] un cuadro flamenco.
- [ ] una tropa de flamenco.

c. Hoy en día, los músicos y bailaores tienen que...

- [ ] adaptarse a la figura principal del espectáculo.
- [ ] intentar destacar por encima de los demás.

d. En un espectáculo de baile, los músicos deben estar atentos a...

- [ ] la velocidad del baile.
- [ ] la guitarra.

¿TE GUSTA BAILAR?

2 **Lee** el texto "La cumbia" de la página 73 del Libro del alumno y **responde** a las preguntas.

a. ¿De qué país es originaria la cumbia?

....

b. Completa la tabla con las raíces culturales de este baile y sus manifestaciones.

Raíz	Se manifiesta en...
africana	el ritmo

c. ¿Cómo se baila la cumbia?

....

d. ¿Cómo es el vestuario? Descríbelo.

....

3 Siguiendo el esquema, describe una manifestación cultural que conozcas (de tu país o de otro país) en la que la gente se viste de manera característica.

Nombre	
¿Cuándo se celebra?	
¿Dónde se celebra?	
¿Qué se hace?	
¿Cómo va vestida la gente?	
Dibuja, pinta o recorta una foto y pégala	

MIS PALABRAS

4 Completa este texto con las siguientes palabras.

···▷ La música y el baile

acompañar   africanas   baila   ~~baile~~   género musical

herencia   instrumentos musicales   raíces   europeas   pareja

1   El tango es un *baile* y un .... típico de la región

del Río de la Plata, principalmente de las ciudades de Buenos Aires (Argentina)

y Montevideo (Uruguay).

Es una .... de la cultura de los gauchos (los vaqueros,

5   *cowboys*, argentinos), de la de los afrorrioplatenses, es decir, los africanos del

Río de la Plata, y también de la cultura hispana, de la italiana y de la centroeuropea.

Es, pues, un género con muchas .... : argentinas,

.... y .... El tango se ....

en .... y se puede .... de una amplia variedad

10   de .... , entre los que el bandoneón ocupa un lugar principal.

5 **Completa** **el crucigrama sobre la música y el baile.**

····▷ La música y el baile

HORIZONTAL

2. ▶ Lugar en el que tiene sus raíces el ritmo de la cumbia.

3. ▶ Manera de cantar el flamenco.

6. ▶ Con las manos, acompañan el flamenco.

7. ▶ Baile típico de Colombia.

9. ▶ Prenda de vestir femenina, herencia europea de la cumbia.

10. ▶ País en el que la cumbia es un baile típico.

14. ▶ Miembros de la comunidad en la que se originó el flamenco.

15. ▶ En el flamenco, hombre que canta.

VERTICAL

1. ▶ Uno de los países en donde es típico el tango.

4. ▶ Instrumentos de origen indígena que acompañan la cumbia.

5. ▶ Instrumentos de origen africano que acompañan la cumbia.

8. ▶ En el flamenco, mujer que baila.

11. ▶ Instrumento principal que acompaña el tango.

12. ▶ Instrumento de cuerda que acompaña el cante flamenco.

13. ▶ Género musical típico del Río de la Plata.

MI GRAMÁTICA

6 Completa **las frases con los relativos.**

···▷ Las frases relativas con preposición

de los que   a la que   en la que   con el que

ayuda 11

a. En la fiesta _____ me invitaron bailaron mucha salsa.

b. El profesor _____ aprendo a tocar el acordeón se llama Marcelo.

c. Los bailarines _____ te hablé son colombianos.

d. Esta academia es _____ me enseñaron a bailar flamenco.

7 Ordena **los segmentos y construye frases relativas.**

···▷ Las frases relativas con preposición

a.   cuando era pequeño   estudié   Esta   en la que   es la escuela

Esta es la escuela en la que estudié cuando era pequeño.

b.   mi hermano   a la que   Almería   se trasladará   es la ciudad

c.   te hablé   de la que   la profesora   ayer   es   Esta

d.   hace dos semanas   la amiga   fui   con la que   es   al teatro   Esa

e.   el amigo   siempre   Pol   con el que   es   voy al cine

8 Escribe **una frase relativa con cada pareja.**
Recuerda hacer los cambios necesarios.

···▷ Las frases relativas con preposición

a.   Tengo un amigo.   **+**   Confío mucho en este amigo.   (que)

Tengo un amigo en el que confío mucho.

b.   2016 fue un año muy intenso.   **+**   Siempre me acordaré de aquel año.   (que)

c.   Andalucía es una parte de España.   **+**   Alguna vez quiero ir a Andalucía.   (donde/que)

d.   Paco de Lucía era un guitarrista.   **+**   Todo el mundo admiraba a Paco de Lucía.   (quien/que)

LA VIDA EN AL-ÁNDALUS

1 **Lee** el texto **¿SABES QUE...?** y el cómic de la página 74 del Libro del alumno, y **responde** a las preguntas.

a. ¿Cuál es el origen de la palabra *Andalucía*?

....

b. ¿Cuál fue la última ciudad bajo dominio árabe de la actual España?

....

c. ¿Qué ciudad de al-Ándalus fue especialmente importante en todo el mundo musulmán?

....

d. ¿Por qué?

....

....

....

....

Córdoba

Granada

↑ La península ibérica en 1031

Territorio cristiano
Territorio musulmán

LAS PALABRAS VIAJERAS

2 **Lee** el texto "Las palabras viajeras del español" de la página 75 del Libro del alumno y **completa** el siguiente cuadro.

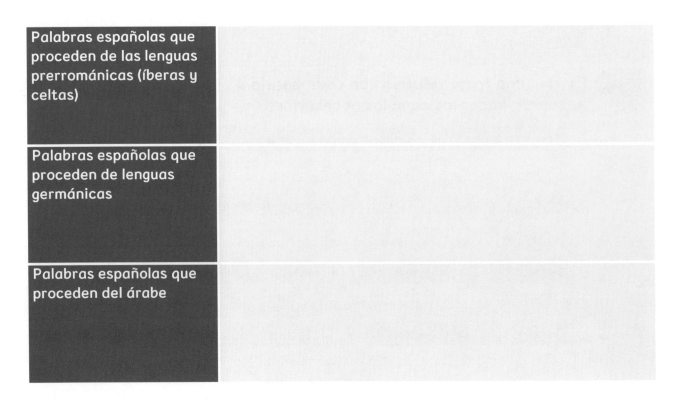

Palabras españolas que proceden de las lenguas prerrománicas (íberas y celtas)	
Palabras españolas que proceden de lenguas germánicas	
Palabras españolas que proceden del árabe	

3 Escucha **el audio y** clasifica **las palabras según su** origen **en esta tabla.**

pista 39

| champú | paella | *whisky* | chocolate | campeón | chaval | izquierda |

| morriña | caramelo | piloto | cheque | aguacate | *mail* | chubasco |

| currar | *checking* | cedé | tomate | mejillón | novela |

| club | pizarra | *whatsapp* | menú | capicúa | cacao | molar |

| chef | hotel | garaje | mermelada | cacahuete | maíz |

PROCEDENCIA DE ALGUNAS PALABRAS ESPAÑOLAS

De lenguas indígenas americanas, como el náhuatl	
Del francés	
Del italiano	
Del portugués	
Del catalán	
Del vasco	
Del gallego	
Del inglés	
Del caló	
Neologismos	

 4 ¿Qué palabras de tu lengua son iguales o parecidas a las palabras españolas de la actividad anterior? Haz **una lista.**

MIS PALABRAS

 5 **Completa** **las frases con las palabras necesarias.**

Lenguas

a. La mezquita de Córdoba es una muestra
de la _____ árabe.

b. El español es una lengua _____;
es decir, que _____ del latín.

c. En caló, *currar* _____ *trabajar*.

d. Las palabras *chubasco* y *morriña*
_____ del gallego.

e. Los árabes mejoraron muchísimo la _____
de al-Ándalus y perfeccionaron el regadío.

↑ Interior de la mezquita de Córdoba

MI GRAMÁTICA

6 **Escribe** **el verbo en** **pretérito indefinido**
o **pretérito imperfecto,** **según la frase.**

Los tiempos del pasado: pretérito perfecto,
pretérito indefinido y pretérito imperfecto

a. Cuando era pequeña me (GUSTAR) _____ el pan con chocolate.

b. El coche (TENER) _____ un accidente porque (CIRCULAR) _____
a excesiva velocidad.

c. ¿En qué mes (IR, TÚ) _____ el año pasado de excursión a los Pirineos?

d. Ayer, cuando (SALIR, YO) _____ de casa, (HACER) _____ buen
tiempo, pero mientras (IR, YO) _____ al colegio (EMPEZAR) _____
a llover.

e. Ayer, Olga me (TELEFONEAR) _____ varias veces, pero no (PODER, YO) _____
contestar porque (ESTAR, YO) _____ en una reunión.

7 **Completa** **las frases con las formas adecuadas**
del **pretérito perfecto.**

Los tiempos del pasado: pretérito perfecto,
pretérito indefinido y pretérito imperfecto

a. Siempre <u>vamos</u> a la montaña, pero últimamente *hemos ido* _____ muy poco.

b. <u>Tengo</u> ganas de viajar en avión porque no _____ nunca.

c. Siempre <u>se levanta</u> a las 7 h, pero hoy Carla _____ a las 8 h.

d. Todas las lenguas <u>reciben</u> influencias de las lenguas vecinas y siempre las _____.

e. Los miércoles mis padres <u>ven</u> una película, pero este miércoles no _____ ninguna.

f. Todas las mañana <u>tomamos</u> el autobús, pero hoy _____ el tranvía.

g. Todos los años <u>celebramos</u> el cumpleaños de mi abuela en su casa, pero este año lo
_____ en un restaurante.

h. Jimena y tú siempre <u>pedís</u> café para desayunar, pero hoy _____ zumo.

8 Une **cada forma del pretérito indefinido** con su infinitivo. Cuidado, hay formas que pueden ser de dos verbos. Márcalas en rojo.

··➔ El pretérito indefinido con raíz irregular

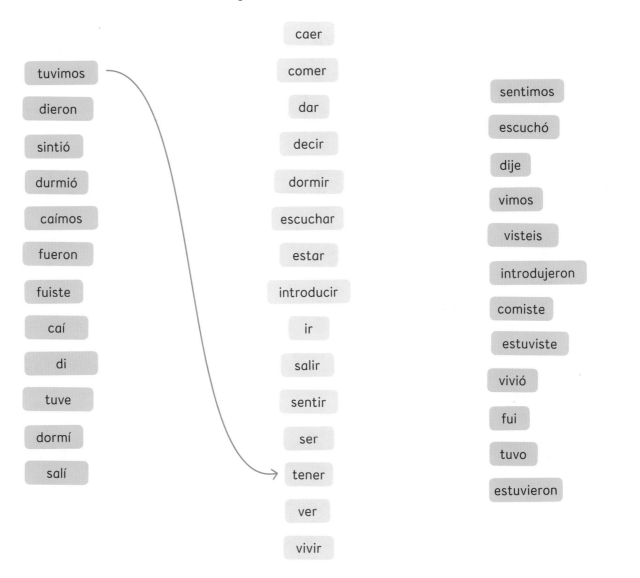

tuvimos

dieron

sintió

durmió

caímos

fueron

fuiste

caí

di

tuve

dormí

salí

caer

comer

dar

decir

dormir

escuchar

estar

introducir

ir

salir

sentir

ser

tener

ver

vivir

sentimos

escuchó

dije

vimos

visteis

introdujeron

comiste

estuviste

vivió

fui

tuvo

estuvieron

 9 Completa **estas frases usando las formas verbales adecuadas de la actividad 8.**

··➔ El pretérito indefinido con raíz irregular

a. Los árabes _____ en Europa muchos conocimientos de agricultura, astronomía y matemáticas.

b. Cuando el bebé _____ la música, se _____ como un ángel.

c. ● ¿Y tú adónde _____ para aprender español?

○ _____ a Zaragoza, a una escuela muy buena.

d. El otro día mi hermano _____ un sueño muy raro.

e. ¿Dónde pusiste los papeles que te _____ Carlos y Luisa? ¡Son muy importantes!

 10 Inventa **4 frases con 4 formas verbales de la actividad 9.**

··➔ El pretérito indefinido con raíz irregular

1 Completa con toda la información que recuerdas de la unidad.
Después, consulta el mapa mental, completa y corrige la información.

BIOGRAFÍA

llegar a

cambiar de

ASPECTOS DE LA PERSONA

los idiomas

la comida

LAS INFLUENCIAS Y LOS RECUERDOS

acordarse de

LENGUAS

las lenguas celtas

el náhuatl

a la agricultura

a la arquitectura

EL BAILE

....

.... | ....

llevar (ropa)

LA MÚSICA

....

tocar un instrumento

....

EL FLAMENCO

....

el / la cantaor/a

....

....

EL MES DE LA HERENCIA HISPANA

1 Escucha **la información y** responde **a las preguntas.**

pista 20

a. ¿Cuánto duraba la celebración al principio?

....

b. ¿Qué dos acontecimientos históricos sucedieron durante el mes de esta celebración?

....

c. ¿Para qué se celebra el Mes de la Herencia Hispana?

....

d. ¿La presencia de latinos en Estados Unidos aumentará o disminuirá en el futuro?

....

2 Lee **el texto de la página 88 del Libro del alumno y** completa **la tabla.**

	Aarón Sánchez	Laurie Hernández	Beto Pérez
Origen	Su familia es...	Su familia es...	Nació en...
Relación con los EE. UU.			
Aporte a la cultura de los EE. UU.			

UNA GENERACIÓN BILINGÜE

3 Escribe **a quién se refiere cada una de estas frases.**

Aarón Sánchez   Laurie Hernández   Beto Pérez   Celia Cruz

a. Es de origen puertorriqueño, lleva toda la vida viviendo en los EE. UU. ⟶ *Laurie Hernández*

b. Es una de las cantantes de salsa más famosas de la historia. ⟶ ....

c. Lleva más de 20 años bailando. ⟶ ....

d. Su cocina es de inspiración mexicana. ⟶ ....

e. Sus vídeos siguen estando entre los más buscados en YouTube. ⟶ ....

4 Mira **el vídeo y** marca **las respuestas correctas.**

VÍDEO

DVD 9

↑ *¿Cómo es la nueva generación de hispanos en EE. UU.?*, www.bbc.com (2010)

a. ¿Qué dos idiomas hablan habitualmente los niños del vídeo?

☐ Francés.　　　☐ Español.　　　☐ Inglés.

b. ¿Dónde van los niños todas las tardes?

☐ A la biblioteca del barrio.　　　☐ A un centro de apoyo escolar.

☐ A la escuela.　　　☐ A un centro de voluntariado.

c. ¿Qué características tiene la segunda generación de hispanos en Estados Unidos?

☐ Han nacido en EE. UU.　　　☐ Sus padres han nacido en EE. UU.

☐ Han nacido fuera de EE. UU.　　　☐ Sus padres han nacido fuera de EE. UU.

d. ¿Cuál es la frase correcta según el vídeo?

☐ La mayoría de los hispanos de EE. UU. pertenece a la primera generación.

☐ La mayoría de los hispanos de EE. UU. pertenece a la segunda generación.

MIS PALABRAS

5 Completa **estas frases usando las expresiones siguientes.**

⤏ La multiculturalidad

ayudar a entender   dominar   trasladarse a   ayudar con los deberes   ser de origen

1 Erwin tienen 13 años y vive en los Estados Unidos. .... nicaragüense. Hace 3 años, su familia .... vivir de Masaya (Nicaragua) a San Diego, California. Erwin no hablaba inglés y al principio en el colegio tuvo muchas dificultades, pero encontró algunos buenos amigos hispanos que llevaban tiempo viviendo en los Estados Unidos que lo ....

5 las lecciones y que también lo .... Con esta ayuda y mucho esfuerzo, después de 3 años ya .... el inglés y saca muy buenas notas . Erwin quiere ser ingeniero.

6 Lee **y** completa **el nombre de estas profesiones.**

⤏ La multiculturalidad

a. Persona que hace deporte de forma profesional:

♂ ⬜⬜⬜⬜⬜⬜⬜⬜⬜⬜
♀ ⬜⬜⬜⬜⬜⬜⬜⬜⬜⬜

b. Persona que trabaja cocinando:

♂ ⬜⬜⬜⬜⬜⬜⬜⬜
♀ ⬜⬜⬜⬜⬜⬜⬜⬜

c. Persona que inventa:

♂ ⬜⬜⬜⬜⬜⬜⬜⬜
♀ ⬜⬜⬜⬜⬜⬜⬜⬜⬜

d. Persona que tiene una o varias empresas:

♂ ⬜⬜⬜⬜⬜⬜⬜⬜⬜⬜
♀ ⬜⬜⬜⬜⬜⬜⬜⬜⬜⬜

e. Persona que crea obras de arte:

♂ ⬜⬜⬜⬜⬜⬜⬜
♀ ⬜⬜⬜⬜⬜⬜⬜

f. Persona que canta:

♂ ⬜⬜⬜⬜⬜⬜⬜⬜
♀ ⬜⬜⬜⬜⬜⬜⬜⬜⬜

7 Anota **el nombre de 5 profesionales famosos/as que conozcas de tu país o de otros.**
Explica **quiénes son y por qué son famosos/as.**

⤏ La multiculturalidad

Empresario / empresaria   Cocinero / cocinera   Artista

Deportista   Cantante   Inventor / inventora

MI GRAMÁTICA

 8 Une **cada infinitivo con su gerundio.**

bailar — bailando

bailar	llevando
cantar	estudiando
decir	durmiendo
tener	viendo
dormir	teniendo
escribir	yendo
estar	escribiendo
estudiar	cantando
hablar	diciendo
ir	soñando
llevar	estando
pensar	bailando
ser	hablando
ver	pensando
soñar	siendo

 9 **Sustituye las partes destacadas por las formas adecuadas de llevar + gerundio o seguir + gerundio.**

a. Vivimos aquí desde hace 7 años y nos encanta. → ....

b. Ahora vivimos en EE. UU., pero todavía hablamos español en casa. → ....

c. Ana y Olga hacen gimnasia desde hace 8 meses y ya tienen una medalla. → ....

d. Mi abuelo tiene 80 años, pero todavía canta y baila en las fiestas. → ....

e. Carlos estudia inglés desde hace 5 meses y ya habla muy bien. → ....

 10 **Escribe 2 cosas que hacías cuando eras pequeño/a y sigues haciendo.**

ayuda 12

a. *Sigo...* ....

b. ....

 11 **Escribe 2 cosas que llevas haciendo algunos años.**

a. *Llevo...* ....

b. ....

¿A FAVOR O EN CONTRA?

1 Lee **los mensajes del foro de la página 90 del Libro del alumno.**
Completa **las siguientes frases con el nombre adecuado.**

a. .... y .... utilizan
el *espanglish* frecuentemente.

b. .... piensa que, por culpa del
espanglish, la gente habla mal español.

c. .... cree que por culpa del
espanglish, algunas personas no aprenden a hablar
inglés.

d. .... ha escrito su mensaje en el foro
en *espanglish*.

2 Resume **las opiniones de estas personas usando las expresiones**
estar a favor de, **estar en contra de**, **parecer bien**, **parecer mal**.

Lara
Los exámenes son injustos, realmente no sirven para saber quién aprende y quién se esfuerza.

Carlos y María
Nosotros creemos que los exámenes son una buena manera de saber quién estudia y quién aprende.

Pedro
La energía nuclear es peligrosa y tiene que estar prohibida.

Fabia
La energía solar es moderna y limpia y es la solución para muchos países que no tienen petróleo.

Joan y David
Usar bolsas de plástico es malo para el medio ambiente, especialmente para los mares.

Maialen
Es muy importante estudiar dos o más lenguas extranjeras. Es una manera de comunicarse con más personas en todo el mundo.

¿ES INJUSTO?

3 Lee **las frases y** reacciona **diciendo cómo es esa cuestión en tu escuela.**

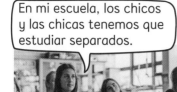

En mi escuela, los chicos y las chicas tenemos que estudiar separados.

En mi escuela, tenemos que llevar uniforme.

En mi escuela, no se puede usar el teléfono móvil.

En mi escuela, se puede usar el diccionario en los exámenes de lengua.

En mi escuela, todos los chicos y chicas tenemos que estudiar inglés y otra lengua extranjera.

....

....

....

....

4 **¿Y TÚ?** Escribe **3 opiniones a favor y 3 en contra sobre temas escolares y 3 a favor y 3 en contra sobre temas de medio ambiente.** Usa **estoy a favor de**, **estoy en contra de**.

TEMAS ESCOLARES

A FAVOR	EN CONTRA

TEMAS DE MEDIO AMBIENTE

A FAVOR	EN CONTRA

MIS PALABRAS

5 ¿A qué palabra corresponde cada definición? Relaciónalas.   ···> La multiculturalidad

| aprender | bilingüe | enseñar | lengua | *espanglish* |

a. .... : persona que habla dos lenguas.

b. .... : se habla en Estados Unidos y es una mezcla de español e inglés.

c. .... : sinónimo de idioma.

d. .... : lo que hacen los/as profesores/as.

e. .... : lo que hacen los/as alumnos/as.

6 Coloca en los 2 cuadros las siguientes expresiones.   ···> Valorar
Luego, escribe una frase con cada una.

| Es justo que | Es injusto que | Es horrible que | Es malo que |

| Es estupendo que | Es bueno que | Es fantástico que |

OPINIÓN POSITIVA +

a. ....
....

b. ....
....

c. ....
....

d. ....
....

OPINIÓN NEGATIVA –

a. ....
....

b. ....
....

c. ....
....

MI GRAMÁTICA

ayuda 13

ayuda 14

7 Completa **los cuadros de los siguientes verbos en presente de subjuntivo.**

···▷ El presente de subjuntivo

	PASAR (se conjuga como *hablar*)	BEBER (se conjuga como *comer*)	ESCRIBIR (se conjuga como *vivir*)
(yo)			
(tú)			
(él, ella, usted)			
(nosotros/as)			
(vosotros/as)			
(ellos, ellas, ustedes)			

	EMPEZAR (E → IE) (se conjuga como *pensar*)	REPETIR (E → I) (se conjuga como *pedir*)	HACER (se conjuga como *tener*)
(yo)			
(tú)			
(él, ella, usted)			
(nosotros/as)			
(vosotros/as)			
(ellos, ellas, ustedes)			

8 Completa **las frases con la forma verbal adecuada.**

···▷ El presente de subjuntivo

a. Es importante que los inmigrantes (SER) _sean_ tratados con dignidad.

b. Es horrible que todavía (HABER) _____ guerras en el mundo.

c. Estoy a favor de que la gente (ORGANIZARSE) _____ para cambiar las cosas.

d. No es justo que las mujeres (GANAR) _____ menos que los hombres.

e. Es injusto que nos (DISCRIMINAR, ELLOS) _____ por ser extranjeros.

9 Transforma **estas frases usando la forma verbal adecuada.**

···▷ El presente de subjuntivo

a. Es recomendable aprender un segundo idioma desde muy pequeños.
Está bien que los niños _____

b. Una gran parte de los niños y niñas del mundo no tienen acceso a la escuela.
Es una vergüenza que _____

c. Los premios que ganan las mujeres deportistas son económicamente muy inferiores a los que ganan los hombres.
Me parece mal que _____

d. Hay países en los que la música y el teatro forman parte de las enseñanzas obligatorias para todos los alumnos.
Me parece importante que _____

YO SOY INMIGRANTE

1 Mira el vídeo de Luis Gamarra. Elige uno de los personajes, imagina cómo era su vida en su país y explica cómo es ahora.

↑ *Yo soy inmigrante*, Luis Gamarra y 50 estudiantes del Berklee College of Music, Boston (2016)

VÍDEO

DVD 10

NO RECORDABA A MI MAMÁ

2 Lee el texto de la historia de Leyde Tejada en la página 93 del Libro del alumno y marca con una X si las frases se refieren a San Jerónimo (SJ) o a Barcelona (B).

	SJ	B
Me sentía rara y no podía hacer amigos.		
Para ir a la escuela andaba una hora.		
Yo era feliz allí.		
Estoy estudiando para ser ayudante de laboratorio.		
Todo me parecía nuevo.		
El agua la íbamos a buscar al río.		
Ahora soy feliz.		

3 Reescribe los dos primeros párrafos de la historia de Leyde Tejada cambiando a la tercera persona los verbos, los posesivos y todo lo que sea necesario.

LEYDE TEJADA

Leyde vivía en Colombia con

4 A partir de este texto, inventa las respuestas que da Yoselín Gonzales en una entrevista.

1 Yoselín Gonzales nació en La Paz, Bolivia, y vive desde hace cinco años en Antofagasta con su familia. Ahora estudia Puericultura en esa ciudad. Los padres de esta joven han emigrado a Chile y allí han luchado mucho para que ella pueda tener las oportunidades de estudios superiores que ellos no tuvieron. A Yoselín no le fue fácil acceder a la 5 educación superior, pero finalmente lo logró con el apoyo de su familia y también el de sus profesores, quienes, según cuenta ella, creyeron completamente en ella y su talento.

↑ Adaptado de *La historia de 6 jóvenes migrantes y su proceso de adaptación en las escuelas de Chile*, Camila Londoño (2018)

a. ¿Cómo te llamas?

b. ¿Dónde naciste?

c. ¿Cuánto tiempo hace que vives en Chile?

d. ¿Por qué emigró tu familia?

e. ¿Qué estás estudiando?

f. En Chile, ¿has cumplido tus deseos y los de tus padres?

MIS PALABRAS

5 Escribe **un sustantivo para cada verbo.**

⋯⟩ Las migraciones

emigrar	la emigración
separarse	....
ahorrar	....
volver	....
graduarse	....
trabajar	....
llamar	....

6 Completa **con la preposición adecuada.**

⋯⟩ Las migraciones

a. Emigrar .... otro país
.... razones económicas

b. Separarse .... alguien

c. Llamar .... teléfono .... alguien

d. Mandar dinero .... alguien

e. Echar .... menos .... alguien
algo

f. Trabajar .... camarero .... un bar

7 Escribe **frases completas para responder a estas preguntas.**

⋯⟩ Las migraciones

a. ¿Conoces a alguien que haya emigrado a otro país?
¿Quién es? ¿Adónde emigró?

....

b. ¿A quién llamas más por teléfono?

....

c. ¿Te gustaría mandarle dinero a alguien? ¿A quién?

....

d. ¿A quién echas de menos cuando estás de vacaciones?

....

e. ¿Qué echas de menos cuando no estás en tu casa?

....

MI GRAMÁTICA

 8 Marca **la opción correcta en cada caso.**

a. He traído este libro por / (para) dejártelo.

b. Estudio español por / para poder hablar con mis amigos latinoamericanos.

c. Hemos organizado una fiesta de cumpleaños por / para mi madre.

d. Mi hermano se ha ido a vivir a EE. UU. por / para su novia. Ella es de allí.

e. He llamado a la escuela por / para preguntar el horario de los cursos.

 9 Completa **las frases con** por **o** para**.**

a. El movimiento artístico chicano lucha .... el respeto a sus orígenes.

b. Esta postal es .... ti.

c. .... la tarde voy a ir a casa de una amiga.

d. Si quieres, podemos quedar después .... ir al cine.

e. Yo utilizo el ordenador .... muchas cosas: .... estudiar, jugar, etc.

f. He trabajado duro .... dar una vida mejor a mi familia, ... que vivan mejor y tengan mejores oportunidades.

g. He traído este cuaderno .... anotar todas las propuestas.

↑ *Mujer con atuendo azteca,* Chicano Park, San Diego

 10 Completa **el texto con** porque, por qué, para, para que, por**.**

● ¿................................ viniste a Madrid?

○ Vine a Madrid desde Managua .... motivos económicos. Vine a trabajar .... poder ahorrar y, sobre todo, ... mis hijos tengan estudios y una buena educación.

● ¿Echas mucho de menos tu país?

○ Al principio de estar aquí, sí, ... todo lo encontraba muy distinto: el clima, la comida, la gente. Ahora ya no.

● ¿................................ ahora ya no?

○ .... me he adaptado y mis hijos también. Yo tengo trabajo y mis hijos van a la escuela y están muy contentos. Este año iremos a Nicaragua de vacaciones.

● ¿Les gusta volver a Nicaragua en vacaciones?

○ ¡Sí! .... mis hijos es genial, ... pueden estar con sus primos.

1 Completa **con toda la información que recuerdas de la unidad.**
Después, consulta **el mapa mental,** completa **y** corrige **la información.**

LAS MIGRACIONES

LA MULTICULTURALIDAD

la lengua

hacer los deberes

el español

la mezcla

el contacto

YO HABLO DOS IDIOMAS.

EMIGRAR

llamar por teléfono

OPINAR Y VALORAR

LA OPINIÓN

Estoy a favor

....

.... | de mezclar lenguas

....

.... | ....

| del *espanglish*

.... | .... | ....

| .... |

¡ESTOY EN CONTRA!

VALORAR

.... | ....

| injusto

.... | .... | mal

....

....

....

....

AUTOEVALUACIONES

1 Escribe **frases que hablen de ti o de otra persona.**

Puntos .... /5

| molestar | hacer feliz | poner triste | poner nervioso/a |

a. los días nublados *A mi amigo/a...* _____

b. ir al médico _____

c. las mentiras _____

d. pedir perdón _____

e. los libros _____

2 Completa **las frases con pedir o preguntar en presente de indicativo.**

Puntos .... /5

a. Me *pregunto* si mañana va a llover.

b. Santi siempre le _____ favores a su hermana.

c. ● ¿(Yo) _____ dónde está el restaurante?
   o No hace falta, ya sé dónde está.

d. En los restaurantes, María siempre _____ el menú del día.

e. Mis hermanos _____ muchos regalos en sus cumpleaños.

f. Estos chicos me _____ si hoy tenemos clase.

3 Imagina **que tu hermano/a tiene gripe.** Escribe **cinco consejos que lo/a pueden ayudar.**

Puntos .... / 10

| comer fruta y verdura | no olvidar el jarabe para la tos |

| dormir mucho | no levantarse de la cama |

| tomar las pastillas para la fiebre | no hacer esfuerzos |

a. *Come mucha fruta y verdura.* _____

b. _____

c. _____

d. _____

e. _____

f. _____

Total puntos .... /20

1 Escribe **el género narrativo** de estas novelas.

Puntos .... /3

a. *Una novela de terror.*

c.

b.

d.

2 Conjuga **los verbos en el tiempo de pasado** correcto.

Puntos .... /7

a. Cuando (COMENZAR, YO) *comencé* a estudiar en este instituto, no (TENER, YO) *tenía* ningún amigo.

b. Virginia no (VER) .... bien de cerca, así que (IR) .... al oculista.

c. De repente, (VER, ELLOS) .... unas luces y, en aquel momento, (SABER, ELLOS) .... que (ESTAR, ELLOS) .... llegando a la ciudad.

d. Mientras Elías (LEER) ...., Rafa (ESCUCHAR) .... música.

3 Completa **las frases con que o donde**.

Puntos .... /8

a. Este edificio es *donde* viven mis primos.

b. La mujer .... vimos ayer por la calle era la madre de Óscar.

c. El piso .... voy a vivir está más cerca del instituto.

d. En el pueblo .... nací hay muy pocos habitantes.

e. El libro .... compré la semana pasada es muy entretenido.

4 Completa **con estar + gerundio**.

Puntos .... /2

Lucía entró en casa y vio a sus abuelos. Su abuelo (HACER) *estaba haciendo* la cena en la cocina y su abuela (DORMIR) .... en el sofá. De repente, se oyó un ruido extraño. Todos fueron al salón y vieron que era el gato, que (JUGAR) .... con el mando del televisor.

Total puntos .... /20

1 Conjuga **los verbos en el futuro.**

Puntos .... /3

a. Los sofás (PODER) *podrán* dar masajes.

b. Los microondas nos (PREPARAR) .... la comida.

c. Los bolígrafos (HACER) .... solos los deberes.

d. Las lavadoras (LAVAR) .... sin jabón.

2 Escribe **el nombre de dos profesiones** que empiecen por cada una de estas letras.

Puntos .... /4

A *abogado* ....

C ....

M ....

P ....

3 Completa **las frases con estas palabras.**

Puntos .... /5

~~algún~~   algo   algunas

nada   ninguno   nadie

a. ● ¿Has comprado *algún* disfraz para la fiesta?

o No, no he comprado ....

b. .... puede ir a la excursión de mañana. ¿Podemos cambiar de día?

c. ● ¿Le has comprado .... a tu hermano por su cumpleaños?

o No, aún no le he comprado ....

d. Tengo que hacer .... cosas antes de salir de casa. ¿Me esperas?

4 Completa **las frases.**

Puntos .... /8

a. Si aumenta la población en el mundo, *habrá problemas de malnutrición.*

b. Si desaparece el petróleo, ...

c. Si colonizamos otros planetas, ...

d. Si vivimos hasta los 200 años, ...

e. Si cuidamos bien el planeta, ...

Total puntos .... /20

1 Completa **las frases con estas palabras.** | Puntos .... /6

> toca   español   vive en   flamenco   inglés   palmas

Mi tío Manuel .... EE. UU. y tiene una academia de .... Da clases de baile y de cante, y también .... la guitarra y las .... Normalmente habla en inglés, pero cuando habla conmigo o con el resto de la familia lo hace en .... A veces no se acuerda de las palabras en español y utiliza el .... , y entonces mi familia no entiende qué está diciendo. ¡Es muy gracioso!

2 Conjuga **los verbos en el tiempo de pasado correcto.** | Puntos .... /5

a. Antes (IR, TÚ) _ibas_ al gimnasio todas las tardes; el año pasado (IR, TÚ) _fuiste_ tres semanas y este año no (IR, TÚ) _has ido_ ni un día.

b. El año pasado mis padres (VIAJAR) .... de vacaciones a México y este año (VISITAR) .... Colombia.

c. Cuando (SER, NOSOTROS) .... pequeños, (ESTUDIAR, NOSOTROS) .... música en el conservatorio.

d. Hace tres años Javier y Lola (CASARSE) .... y este año (TENER) .... un hijo.

e. El mes pasado Valentín (HACER) .... un curso de cocina y (APRENDER) .... mucho.

f. Cuando (LLEGAR, VOSOTROS) .... al restaurante, vuestros amigos ya no (ESTAR) ....

3 Escoge **la opción correcta en cada caso.** | Puntos .... /5

a. Este es el dibujo **con el que** / **que** gané el concurso de pintura.

b. La señora Rodríguez, **quien** / **a quien** conoció en su juventud, siempre fue su mejor amiga.

c. El local **el que** / **en el que** van a hacer la fiesta está en la plaza Algar.

d. Esta es la bicicleta con **la** / **el** que me muevo por la ciudad.

e. Martín, el chico con el **que** / **quien** quedamos ayer, canta en una banda de _rock_.

4 Escribe **frases con estos elementos.** | Puntos .... /4

> participar en   ~~influir en~~   confiar en   pensar en   soñar con

a. mi hermano pequeño _Yo he influido en mi hermano pequeño._ ....

b. concurso ....

c. actor favorito ....

d. mis mejores amigos ....

e. vacaciones ....

| Total puntos .... /20

1 Conjuga **los verbos en el presente de subjuntivo.**

Puntos .... /7

a. Me parece bien que no (HABER) *haya* clase en verano.

b. Es horrible que algunos niños no (TENER) .... para comer.

c. Es bueno que (DORMIR, TÚ) .... 8 horas para estar descansado.

d. Es estupendo que María (VENIR) .... a la reunión con nosotros.

e. Es malo que (COMER, TÚ) .... tan rápido, no masticas.

f. Es injusto que no (PODER, NOSOTROS) .... ir a la excursión. Siempre nos portamos bien.

g. Es fantástico que (HACER, VOSOTROS) .... un voluntariado este verano.

h. Es justo que (ARREGLAR, TÚ) .... el jarrón, tú lo has roto.

2 Sustituye **las partes destacadas por las formas adecuadas de llevar + gerundio o seguir + gerundio. Cambia lo necesario.**

Puntos .... /4

a. Gonzalo vive en Perú desde hace 3 años. ....

b. Rebeca todavía toca la guitarra, pero ya no va a clase. ....

c. Julio todavía está de vacaciones en Málaga. ....

d. Vanesa juega a la consola desde hace 2 horas. ....

3 Completa **las frases con estas palabras.**

Para   Por qué   Para qué   Porque

a. ● ¿................................ viajas tanto?

○ ¡................................ conocer el mundo!

b. ● ¿................................ estás tantas horas en la biblioteca?

○ .... tengo muchos temas que estudiar.

4 Escribe **5 valoraciones sobre los asuntos que tú prefieras.**

Puntos .... /5

a. Es justo que ....

b. Es horrible que ....

c. Es bueno que ....

d. Es fantástico que ....

e. Es malo que ....

Total puntos .... /20

DNC   7/17/23